PROMETS-MOI QUE TU REVIENDRAS VIVANT

DE LA MÊME AUTEURE

Duras, l'impossible, récit, Éditions Varia, 2006 ; Nota Bene, 2010.
Lettres à Marguerite Duras, collectif sous la direction de Danielle Laurin, Éditions Varia, 2006.
Raymonde April sur un fil, portrait, Éditions Varia, 2006.

Danielle Laurin

PROMETS-MOI QUE TU REVIENDRAS VIVANT

Ces reporters qui vont à la guerre

Libre Expression

Une compagnie de Quebecor Media

Catalogage avant publication de Bibliothèque et Archives nationales du Québec et Bibliothèque et Archives Canada

Laurin, Danielle, 1957-

    Promets-moi que tu reviendras vivant : ces reporters qui vont à la guerre
    Comprend des réf. bibliogr.
    ISBN 978-2-7648-0424-7
    1. Correspondants de guerre. 2. Récits de guerre. I. Titre.
    PN4823.L38 2010   070.4'3330922   C2010-941710-0

Édition : André Bastien
Révision linguistique : Carole Mills
Correction d'épreuves : Annie Goulet
Couverture : Véronique Giguère
Photo de la couverture : Reza
Grille graphique intérieure : Chantal Boyer, Amélie Côté
Mise en pages : Amélie Côté
Photo de l'auteure : Groupe Librex

Remerciements
Les Éditions Libre Expression reconnaissent l'aide financière du gouvernement du Canada par l'entremise du Fonds du livre du Canada pour leurs activités d'édition. Nous remercions le Conseil des Arts du Canada et la Société de développement des entreprises culturelles du Québec (SODEC) du soutien accordé à notre programme de publication. Gouvernement du Québec – Programme de crédit d'impôt pour l'édition de livres – gestion SODEC.

Les Éditions Libre Expression
Groupe Librex inc.
Une compagnie de Quebecor Media
La Tourelle
1055, boul. René-Lévesque Est
Bureau 800
Montréal (Québec) H2L 4S5
Tél. : 514 849-5259
Téléc. : 514 849-1388
www.edlibreexpression.com

Dépôt légal – Bibliothèque et Archives nationales du Québec et Bibliothèque et Archives Canada, 2010

ISBN 978-2-7648-0424-7

Distribution au Canada
Messageries ADP
2315, rue de la Province
Longueuil (Québec) J4G 1G4
Tél. : 450 640-1234
Sans frais : 1 800 771-3022
www.messageries-adp.com

Diffusion hors Canada
Interforum
Immeuble Paryseine
3, allée de la Seine
F-94854 Ivry-sur-Seine Cedex
Tél. : 33 (0)1 49 59 10 10
www.interforum.fr

À toi
À nos enfants

En mémoire de tous les reporters de guerre
tués sur le terrain

CHAPITRE 1

Moi, femme de soldat

Nous sommes sur le balcon. Côte à côte. Face au fleuve. C'est le soir après le souper, le vent se lève. Nous sommes dans deux mondes séparés.

Tu t'apprêtes à partir pour l'Afghanistan, je suis celle qui reste. Avec les enfants. Tu es déjà là-bas dans ta tête, dans tes yeux. Tes yeux comme fous, je trouve.

Je ne te reconnais plus. Je ne te comprends pas. Tu m'échappes complètement. Ça me tombe dessus : qui es-tu ? Qui est cet étranger, sur le balcon, à côté de moi ?

Nous avons tout laissé en plan. La table, dans le solarium, couverte de vaisselle sale. Les paniers de vêtements propres, à plier. Les comptes en retard, à payer. Et ta mère. Ta mère, inquiète, le souffle court sur le répondeur, que tu devais rappeler.

Il n'y a plus de lait dans le frigo, plus de jambon pour le lunch des enfants demain midi. Je débarque à peine de Paris, je suis en plein décalage, j'ai un article à rendre demain matin, je n'ai rien écrit. Je ne sais plus où j'en suis.

Après le déjeuner, demain, tu seras parti.

C'est irrévocable, irréversible, ta décision est prise. Tu as obtenu ton visa, tu as reçu les vaccins qu'il te faut, les médicaments au cas où. Tu as le téléphone satellite, les deux magnétos, la nourriture en sachet, l'insecticide, les vêtements spéciaux qui sèchent vite. Et le gilet pare-balles.

Les enfants sont dans le salon. Ils devraient faire leurs devoirs ; ils jouent au Nintendo. Ou font semblant. Ils sentent que l'heure est grave. Ils le savent.

Je devrais éteindre la télé, jouer mon rôle de mère. Leur dire d'aller se brosser les dents. Je devrais les rassurer, juste leur parler.

Je devrais leur raconter une histoire, peut-être. Une histoire inventée, comme lorsqu'ils étaient petits, tout petits. Une histoire triste au début, mais qui finit bien.

Je ne peux pas, je suis paralysée.

Je suis pleine de questions, pleine de doutes. Pleine de rage. J'ai envie de me jeter sur toi, de te rouer de coups, de te mordre jusqu'au sang. J'ai envie de pleurer, envie que tu me prennes dans tes bras. Je voudrais te caresser la joue. Tout ça en même temps.

Je ne bouge pas. Je ne parle pas. Toi non plus. Tu ne flancheras pas. Et je refuse d'abdiquer. C'est plus fort que moi. Je n'en démords pas. J'ai peur. Peur que tu meures. Là-bas. En Afghanistan.

Je suis vidée de mon air, de mon sang. On dirait qu'un tank m'est passé dessus. Qu'il m'a broyé le cœur, les tripes, le corps tout entier. Plus rien n'a de réalité, de contour, d'épaisseur.

Il n'y a que la peur. Obsédante, effrayante. Je ferme les yeux, je la vois. C'est *Apocalypse Now*, à l'intérieur de moi. Une embuscade au tournant, et c'est fini, tu n'existes plus. Une bombe explose, et tu es là, tu voles en éclats.

Ta chair déchiquetée. Des morceaux de toi partout, par milliers.

C'est comme une bande qui défile. Ça n'arrête pas. Je voudrais être une fée. Je voudrais être Ma sorcière bien-aimée. Je voudrais être Dieu. T'arracher à ta folie. Je t'enfermerais dans une camisole de force, si je le pouvais.

Je voudrais tout effacer. Cacher ton passeport. Vider ton sac à dos. Détruire ton gilet pare-balles. Mettre le feu à tes affaires. Annuler le taxi pour l'aéroport demain matin. Annuler tout. Les semaines, le mois à venir. Peut-être plus…

On ne sait pas. On ne sait pas quand tu reviendras. On ne sait pas si tu reviendras. Ni dans quel état. On ne sait rien, à ce moment-là. Personne ne peut prédire ce qui va se passer.

Nous sommes en octobre 2001. Tout peut arriver, depuis que les tours du World Trade Center sont tombées, à New York. Tout peut arriver depuis le 11 septembre 2001.

Ce jour-là, à la télé, les mêmes images d'épouvante répétées. Cette proximité, tout à coup. L'impression que ça se passait dans notre cour. L'impression que tout s'écroulait autour.

J'étais seule, avec les enfants. Qui demandaient, le regard halluciné, si la Troisième Guerre mondiale venait de commencer. Qui demandaient, à répétition, quand tu rentrerais à la maison.

Tu étais en Afrique du Sud, en reportage. Une conférence internationale contre le racisme, à Durban. Et des histoires de camps de personnes déplacées par l'ANC, à Johannesburg.

Tu devais reprendre l'avion pour Montréal, via New York, ce jour-là. Le 11 septembre 2001. Le trafic aérien était bloqué. Je ne savais pas, tu ne savais pas quand tu rentrerais : c'était le chaos, la panique générale.

Quelques jours plus tard, tu as posé ton sac à dos dans le salon, tu étais là de nouveau. Tu nous as serrés dans tes bras tous les trois. Tu as retrouvé tes repères. Puis, tes collègues du bureau. Et tout ce qui t'ennuyait. Tu parlais de repartir. Déjà.

Avant l'Afrique du Sud, il y avait eu l'Asie, la Russie, le Kosovo, Haïti… Il y avait eu du danger, parfois, de la violence.

Mais ça ne comptait pas. Ça ne compte plus, on dirait, pour toi. C'était comme un entraînement. Un seuil minimum, un test. Il faut aller de l'avant.

Nous y voilà.

Demain, tu mets le cap sur le pays vers lequel tous les yeux sont tournés en ce moment. Là où on fait la chasse aux talibans et à Al-Qaïda, à coups de B-52. Là où se terre Oussama ben Laden, prétendument. Tu t'envoles pour l'endroit le plus *hot* de la planète, le plus dangereux, actuellement.

Je me secoue, il le faut, j'ouvre les yeux. J'aperçois le grand héron, en bas, au bord du fleuve. Silhouette préhistorique, incongrue. Il attend patiemment sa proie. Il se penche, et *tac*. Ça frétille au bout de son bec. Puis dans son cou.

Je vois la vie qui se débat, comme dans un long tunnel. Sans issue. Je vois noir, je vois rouge. Je crie, j'éclate, je vocifère. Une vraie chipie, une langue de vipère.

Tu n'as pas le droit de me faire ça. Pourquoi vas-tu risquer ta vie ? Qu'est-ce que tu cherches, qu'est-ce que tu fuis ? Qu'est-ce que tu veux prouver ? À qui ?

Tu veux jouer au héros ? Témoigner, informer, c'est ton métier, oui. Mais à quel prix ? C'est beau en théorie. Il faut des journalistes sur le terrain en Afghanistan, d'accord. Mais pourquoi toi, précisément ?

Je déteste cette lueur de défi dans tes yeux. Cette façon de te croire invincible, immortel. Je vois bien que ça t'excite. Que tu baves à l'idée d'être là où ça se passe, où ça chauffe, où ça pète.

Ne me répète pas que tu seras prudent. Arrête. Cesse de dire que tu ne prendras aucun risque inutile. Qu'est-ce que ça veut dire, un risque utile ? Et les enfants ? Et moi ? Je me sens comme une femme de soldat.

Un mur de béton armé, entre nous, ce soir, sur le balcon. Un mur comme il n'y en a jamais eu. Notre premier baiser sur le mont Royal remonte à vingt-huit ans. On s'est connus à seize ans. Tu voulais être journaliste, déjà.

Il y a eu des crises, des heurts, des non-dits, des remises en question. Mais jusqu'ici, j'avais de l'admiration pour toi, du respect pour tes choix. Jusqu'ici, je trouvais que tu étais un bon père, le meilleur père qui soit pour mes enfants. Ça ne tient plus.

Je trouve que tu ne penses qu'à toi, que tu te défiles devant ton rôle, tes responsabilités de père. Est-ce que j'exagère ? Je me dis que tu ne m'aimes plus. Ou pas assez. C'est pareil. C'est fini.

Quelque chose vient de se briser, on ne pourra plus revenir en arrière, c'est ce que je crois.

Je ne sais pas que ce n'est que le début. Le début d'autre chose. Le début de ta nouvelle vie. Et de la mienne, par conséquent. J'ignore que tu vas repartir en Afghanistan. Trois mois plus tard. Juste après la chute des talibans.

Tu ne travailleras pas seul, mais avec un journaliste anglophone de CBC. Vous serez deux, deux reporters, en tandem. Comme si cela faisait une différence, à mes yeux.

Vous irez à Kandahar juste après sa chute. La zone la plus dangereuse du pays. Routes piégées, imprévisibles. Vous vous déplacerez en convois. Les chauffeurs indigènes conduiront comme des malades, la pédale au plancher, tout en palabrant et en se versant du thé.

La maison que vous aurez louée avec d'autres journalistes occidentaux sera gardée. Par des hommes armés. Des combattants talibans réformés, maintenant à la solde des Américains.

Tu ne sauras pas jusqu'à quel point tu peux faire confiance à ces hommes-là, qui ont retourné leur veste. Tu les entendras rire, la nuit. S'éclater, se soûler enfin, loin des mollahs. Et tirer des coups de feu en l'air, pour rien.

Tu ne me diras rien de tout ça, quand tu appelleras pour me donner des nouvelles, très brièvement : les communications seront compliquées, le téléphone satellite coûtera affreusement cher. Tu ne voudras pas m'inquiéter.

C'est plus tard que j'apprendrai les dessous de ton deuxième séjour là-bas, que je mesurerai l'ampleur de tes non-dits. Bien après ton retour. Quand tu te laisseras aller, par à-coups, autour d'un bon repas et d'un verre de vin entre amis. Alors que le danger sera loin, derrière.

Au téléphone, tu me diras que tout va bien, tout va bien ma chérie, et bla-bla-bla. Quand je demanderai des détails, parlerai des images de pagaille montrées à la télé, tu diras que c'est pire vu de loin. Et tu changeras vite de sujet.

Vite, tu demanderas comment je vais, moi. Et comment vont les enfants, et tes parents… Tu diras un mot ou deux aux enfants, qui trépigneront à côté de moi. Le seul fait d'entendre ta voix leur fera du bien. Même chose pour moi.

Le reste du temps, je me contenterai de la radio. Je guetterai le moment de tes interventions. J'essaierai de détecter quand c'est enregistré (ça ne voudra rien dire) et quand c'est en direct (ça voudra dire que tu es vivant).

Le matin, au déjeuner, le visage des enfants s'éclairera quand ils reconnaîtront ta voix aux informations : chut, c'est papa. Le téléphone sonnera tout de suite après. Ta mère. Elle t'aura entendu à la radio, ton père aussi, bien sûr.

Toutes les radios dans la maison seront allumées, en permanence. Au cas où. À chaque heure de la journée, dans mon bureau, quand j'entendrai le signal du bulletin de nouvelles, je quitterai des yeux mon écran d'ordinateur, je monterai le son. Et je fixerai par la fenêtre le fleuve gelé que le grand héron aura déserté.

Certains jours, aucun signe de toi, rien. Je ne saurai rien de ce qui t'arrive depuis trop longtemps déjà, quand la nouvelle tombera à la radio : un journaliste occidental vient d'être enlevé à Karachi, au Pakistan. Daniel Pearl. Correspondant pour le *Wall Street Journal*. Il enquêtait sur les liens entre des mouvements islamistes du Pakistan et les réseaux d'Al-Qaïda.

Le téléphone n'arrêtera pas de sonner, ce jour-là. Ce ne sera jamais toi. Nos amis journalistes me tiendront au courant des derniers développements. Ta mère me demandera avec une petite voix si Karachi, c'est proche de Kandahar. Ma mère me demandera trois fois dans la journée si elle peut faire quelque chose pour moi.

J'essaierai de terminer mon papier sur Tonino Benacquista, de préparer mon entrevue avec Marc Lévy. Je trouverai ça futile, vain. Je n'aurai plus envie de rien. Je voudrai juste entendre ta voix, là, maintenant.

Un mois plus tard, aux nouvelles, confirmation officielle : Daniel Pearl, trente-huit ans, né aux États-Unis dans une famille juive, a été décapité. Son assassinat a été filmé par ses tortionnaires islamistes.

J'oserai à peine imaginer ce que ressent sa veuve, Mariane Pearl, enceinte de leur premier enfant. Quand je lirai son livre, ensuite, *Un cœur invaincu*, j'apprendrai que, sur le coup, elle a voulu mourir. Mais qu'elle a décidé de se battre. Pour son enfant, pour l'avenir de l'humanité.

Qu'est-ce que j'aurais fait, à sa place ? Cette question continue de me hanter.

Tu iras en Irak. Peu après la chute de Bagdad, en 2003. Période de changements, d'espoir. Poches de résistance, aussi. Résistance sunnite, fidèle à Saddam Hussein, que les Américains combattent. Ça tirera de partout, la nuit.

Les enlèvements de journalistes seront de plus en plus fréquents. Mais rien, pas même les cinq mois et demi de captivité de la journaliste française Florence Aubenas dans une cave irakienne en 2005, ne te détournera de l'idée que ton métier, c'est d'être là à tout prix, pour témoigner, informer.

Tu retourneras en Afghanistan, encore et encore. En septembre 2004, période de haute tension, tu seras hébergé un temps par une organisation humanitaire, à Kandahar. Tu te déplaceras en convoi. Certaines routes que vous emprunterez seront bombardées peu après votre passage.

« J'avais l'impression qu'on s'était juste bien faufilés », me confieras-tu, plus tard. Bien plus tard. En juillet 2008.

Nous serons en auto tous les deux, nous reviendrons de New York. La veille, nous aurons passé la soirée avec David Rieff, fils de l'écrivaine Susan Sontag et journaliste spécialisé dans les conflits internationaux, qui a couvert plusieurs guerres. À commencer par celle de Bosnie, où il a failli perdre la vie.

Dans l'auto, tu me raconteras que cette fois-là, en 2004, en Afghanistan, tu as eu la peur de ta vie. Non pas à cause de la guerre, des bombardements. Pas directement, en tout cas.

Tu reverras tout. Le petit avion désuet te ramenant vers Kaboul. Le train d'atterrissage défectueux. Le survol de Kaboul, pendant une heure. Puis la descente et l'atterrissage en catastrophe.

«Je regardais les gens autour, blancs comme des draps, personne ne savait si on allait faire un crash», lâcheras-tu, les yeux fixés sur la route. Et une main sur la bouche, comme si tu craignais d'en avoir trop dit, tout à coup.

En 2006, tu passeras un mois à Kaboul, Hérat et Kandahar. Quatre soldats canadiens seront tués à côté de Kandahar le jour de ton arrivée. Tu arpenteras les rues de la ville, vêtu de vêtements traditionnels, tête couverte, discret.

Tu refuseras d'être *embedded*, intégré avec l'armée. Tu voudras garder ta marge de manœuvre. Mais tu suivras dans leurs déplacements des soldats canadiens intégrés aux équipes de reconstruction.

Les écoles, les ponts reconstruits seront aussitôt détruits. Les attentats contre les soldats, contre les organisations humanitaires, contre la population, contre tout le monde et n'importe qui, continueront de se multiplier.

La question qui se posera, alors, chez nous, au Canada, et ailleurs en Occident, la même qui t'amènera en Afghanistan, pour la quatrième fois : la reconstruction vaut-elle le coup, ou non?

La question que, moi, je ne cesserai de me poser : les risques que tu cours là-bas valent-ils vraiment le coup?

Il y aura une partie de toi restée au loin à chaque retour. Il y aura un décalage. Décalage par rapport à moi, à nous, à tout. Par rapport à la vie de tous les jours, la vie facile dans un pays riche qui n'a jamais connu la guerre.

Il y aura ton agressivité, tes colères. Contre l'injustice, la misère. Contre notre inconscience à tous, notre consommation scandaleuse, notre égocentrisme, notre futilité. Contre les exigences de nos enfants gâtés pourris, contre les céréales sucrées que j'oserai acheter au supermarché, contre les fêtes de famille obligées.

Il y aura ton ras-le-bol généralisé. Que je recevrai en pleine figure. À tout moment dans la journée.

Il y aura tes longs silences. Ton sommeil agité. Ton épuisement, tout à coup. Et ton désir de repartir à nouveau, l'adrénaline au plafond. Il y aura ça, comme message, constamment : la vraie vie est ailleurs.

Il y aura le Congo, le Kivu, ta série de reportages dans les zones tenues par des rebelles, les Maï-Maï, près du Rwanda. Et un vieil avion, encore là. Qui zigzaguera dans le ciel, tandis que tu essaieras de contrôler tes tremblements sur la petite chaise en plastique brinquebalante qui t'aura été allouée en cabine.

Il y aura l'Indonésie, en plein tsunami. Puis l'Indonésie un an après, ton interview clandestine dans la jungle, avec des factions armées. Il y aura le Soudan, la guerre du Darfour, deux fois plutôt qu'une, les camps de déplacés, l'armée africaine débordée, dépassée, les prises d'otages, l'anarchie.

Quoi d'autre ? Tu ne voudras rien manquer.

Il y aura mes crises de larmes, subites, incontrôlées, quand tu seras sur le terrain. Ça m'arrivera n'importe où, même en public, dans les restos. Même ma grande amie ne me comprendra plus.

Elle croira que c'est le fait que tu partes qui me met dans cet état. Que c'est le fait que tu places ta carrière au premier plan, avant moi, avant les enfants. S'il n'y avait que ça...

Elle croira que c'est une histoire de compétition, entre toi et moi. Une question d'orgueil. Un bras de fer, où tu es le vainqueur. Elle croira que je t'envie, que je suis jalouse.

Jalouse de quoi ?

J'ai peur que tu meures. Qui peut comprendre ça ? Pas elle, pas toi. Personne, on dirait. Sauf ma mère, peut-être. Et la tienne, bien sûr : c'est son fils à elle qui risque sa vie.

Le 11 novembre 2001, une journaliste française survivra à un attentat taliban. Mais trois autres journalistes occidentaux mourront dans l'embuscade.

Le 19 novembre 2001, quatre journalistes occidentaux seront dévalisés et tués sur une route au milieu de nulle part, toujours en Afghanistan.

En 2003, deux cameramen occidentaux perdront la vie, en Irak, cette fois.

En 2005, un journaliste télé de Radio-Canada et son caméraman frôleront la mort. Le véhicule blindé de l'armée canadienne dans lequel ils se trouveront roulera sur une mine et sera soufflé. Deux soldats canadiens et l'interprète afghan perdront la vie dans l'attentat. Le journaliste s'en sortira avec quelques éraflures à peine, mais le caméraman sera amputé d'une jambe.

En 2006, un caméraman et un preneur de son de la chaîne américaine CBS perdront la vie dans un attentat-suicide, à Bagdad. La journaliste présente à leurs côtés, grièvement blessée, échappera de justesse à la mort.

En 2008, un photographe de presse américain sera enlevé, avec son interprète, en Irak. Il sera ligoté, la tête recouverte d'un sac. Et sera libéré deux mois plus tard, par hasard.

Toujours en 2008, une journaliste du réseau anglais de Radio-Canada sera enlevée dans la banlieue de Kaboul. Elle sera libérée vingt-huit jours plus tard.

En 2009, une journaliste canadienne et un photographe australien seront enlevés par un groupe rebelle en Somalie. Ils seront relâchés au bout de quinze mois.

À la fin de cette année-là, une journaliste canadienne mourra alors que le char de l'armée canadienne où elle se sera engouffrée roulera sur une mine, en Afghanistan.

Le 9 janvier 2010, un journaliste britannique perdra la vie alors que le blindé de l'armée américaine où il aura pris place sera victime d'une mine artisanale, en Afghanistan.

Le meilleur reportage vaut-il la mort d'un journaliste ?

Cette question, qu'on a posée un jour au grand reporter de guerre polonais Ryszard Kapuscinski, qui, en près de soixante-quinze années de vie, a couvert d'innombrables guerres, je te la poserai cent fois.

Je la poserai à d'autres journalistes. Qui prennent des risques, comme toi. Dont c'est le mode de vie. Une raison d'être. Ou pas. Je voudrai comprendre ce qui les pousse, comme toi, à se mettre en situation de danger.

Je voudrai te comprendre, toi, à travers eux. Voir les choses de leur point de vue, pour me rapprocher de toi.

Je n'en suis pas encore là.

Ce soir, sur le balcon, face au fleuve, je viens de basculer pour la première fois de ma vie dans la terreur de te perdre sur un champ de bataille. Je suis loin d'imaginer que tu vas devenir un habitué des reportages en zone à risque. Et que je ne m'y ferai jamais.

Jamais.

Demain matin, comme avant chacun de tes départs à venir, je m'agripperai à toi. Tu me serreras trop fort dans tes bras. J'écouterai le pouls de ton cœur en accéléré. Le taxi klaxonnera dans l'entrée.

Tu prendras ton sac à dos au ralenti, sans me regarder, tu te mordras la joue. Je ne voudrai pas pleurer, pas avant que tu sois dans le taxi. Sur le pas de la porte, tu te retourneras une dernière fois. Je planterai mes yeux dans les tiens. Et je dirai la seule chose qu'il reste à dire dans ces cas-là.

Promets-moi que tu reviendras. Vivant.

Chapitre 2

Il y a les autres, il y a toi

Elle, vois-tu, elle n'a pas d'enfants, pas de mari. Par choix.

— *Pour moi, travailler en information, c'est un engagement. Une manière d'être, un mode de vie. J'ai construit ma vie en fonction de ça.*

Elle, vois-tu, elle a tranché la question depuis longtemps.

— *J'ai toujours su que je mettrais en avant mon choix de partir en reportage.*

Son blouson de cuir usé pend n'importe comment sur le dossier de sa chaise, ses longues boucles d'oreilles miroitent, s'agitent dans ses cheveux rebelles.

— *Quand on exerce ce métier, c'est plus facile pour un homme que pour une femme d'avoir une vie personnelle.*

Elle parle vite, mâche ses mots, sa voix est grave, chaude, rocailleuse.

— *Ça énerve les hommes, d'avoir une femme reporter de guerre : ce n'est pas la distribution classique des rôles.*

Ses yeux vifs, bleu ciel, me regardent sans ciller. On dirait que Florence Aubenas lit dans mes pensées.

Distribution classique des rôles, oui.

Je me revois dans le rôle de gardienne du foyer, tandis que toi, tu risques ta vie quelque part.

Je revois mes gestes d'automate, pour organiser une vie à peu près normale dans la maison, pour les enfants. Je revois mes yeux creux, mon teint terne, ma face de carême. Cette image de moi, dans le miroir : une étrangère.

Je me revois, j'essaie d'avoir l'air calme. Je fais comme si. Comme si je n'étais pas tout le temps au bord des larmes. Et en colère. Tellement en colère contre toi. Contre tes choix. Et contre moi, d'accepter ça.

Je revois les enfants rentrer de l'école. Demander si tu as téléphoné. Puis, demander ce qu'on mange pour souper. Je les revois faire comme si, eux aussi. Comme si tu allais rentrer d'un moment à l'autre.

Cette entente tacite, entre les enfants et moi : éloigner la peur, tapie, empêcher les pleurs, les miens, les leurs. Pour te porter bonheur ?

Je les revois tenter de me faire rire. Je revois mon sourire pâle devant leurs pitreries. Ma lassitude, comme une défaite. Ma main qui tremble, incontrôlable, ma nullité de mère : je ne suis pas à la hauteur, devant les enfants.

Je les revois, avant d'aller au lit, se coller contre moi. Tous les deux ensemble. Longuement. Cette chaleur, dans mon cou. Leur odeur mêlée, un bouclier.

Je revois ta place vide et froide, dans le grand lit, la nuit. Quand la maison craque, que le vent claque. Et que l'épouvante surgit. Où es-tu ? Que fais-tu ? Quelle heure est-il, là-bas ? Es-tu en vie ?

Je te revois rentrer au bercail, cerné, hagard. Mais heureux d'être accueilli. Heureux de voir que le fleuve est toujours là, toujours aussi imposant, beau, changeant.

Je te revois, tu savoures chaque instant. Tu es chez toi, chez nous. Tu viens vers moi, je trouve que tu as perdu du poids, je ne dis rien, je ferme les yeux. Les enfants crient de joie, te sautent dessus. En haut, ta place t'attend, dans le grand lit.

Distribution classique des rôles, oui.

Et de toutes mes forces je résiste. Je ne me résigne pas. Je ne veux pas. Je ne veux pas jouer dans ce film-là. Ce film que tu m'imposes. Le retour d'Ulysse, le repos du guerrier.

Tout ce cinéma. En attendant la prochaine fois, le prochain départ. La suite, le recommencement. Le chant des sirènes, le champ de bataille. En attendant la guerre qui tue, encore.

Et je flanche, pourtant. C'est bien ça le pire. Je consens. Par la force des choses. Par amour ? Je consens, par amour pour toi, à ce que tu mettes ta vie en danger.

Ça n'a aucun sens, ce que tu me demandes là, tu te rends compte ?

— *Moi, en tout cas, ça a toujours posé problème à mes fiancés que je fasse ce métier. Ça leur paraît incongru.*

Je me demande comment tu réagirais, toi, si on inversait les rôles.

— *Ce qui est héroïque pour un homme ne l'est pas pour une femme.*

Je songe à cette aura de héros, dans le regard des autres posé sur toi, quand tu reviens d'un pays en guerre.

Je songe à la lueur d'envie dans les yeux de certains. Des anonymes, qui t'ont entendu à la radio, qui te reconnaissent, soudain. Mais des copains, aussi bien. Même des collègues journalistes.

Je songe à tous ceux qui n'ont jamais mis les pieds dans une zone à risque et qui en bavent. Pour l'aura de héros, justement. Mais qui n'osent pas, ne le feront jamais. Et le savent très bien.

Je songe à la fierté dans la voix des enfants quand ils parlent de leur père reporter de guerre. Ils ont beau craindre de te perdre, ils t'admirent. Avoir un papa qui va en Irak, en Afghanistan, pour informer les gens, ça les grandit eux-mêmes, on dirait. À leurs yeux. Et auprès de leurs amis.

— Il y a toujours une blague qui sort à un moment ou à un autre, du genre : ma femme est un cow-boy. On vous renvoie : les femmes ne sont pas à leur place, comme reporters, dans un pays en guerre. On vous dit : ce n'est pas normal, qu'est-ce que tu vas faire là ?

Parce que tu es un homme, tu es à ta place dans la guerre, c'est normal, c'est ça ?

— Pour moi, c'est clair : il se passe un truc quelque part, je meurs d'envie d'y aller. Ce qui me plaît, c'est de vivre au rythme de ce métier.

Nous sommes dans un petit bistro parisien, Florence Aubenas et moi. À deux pas de son bureau. À l'heure du lunch. C'est bruyant et gai. Elle engloutit une salade du jour tout en parlant ; elle a de l'appétit, de l'énergie à revendre. Elle m'éblouit.

Ça se passe deux ans, presque jour pour jour, après sa libération d'Irak.

Elle a été ligotée dans une cave, pendant cent cinquante-sept jours. Cinq mois et demi. Aux côtés de son fixeur, autrement dit son guide, son éclaireur sur le terrain, un Irakien. Aux côtés d'autres otages étrangers, aussi.

As-tu déjà pensé que tu aurais pu être là, dans cette cave ? As-tu déjà pensé que, si tu avais été pris en otage, en Irak ou ailleurs, nous, les enfants et moi, tes parents, ta famille, tes amis, nous aurions compté en minutes les jours, les mois sans toi ?

Qu'est-ce que nous aurions pu faire, pour toi ? Pour te sortir de là ? T'es-tu déjà posé la question ? Et qu'est-ce que les enfants en auraient eu à faire, dis-moi, d'avoir un père reporter de guerre prisonnier de gens haineux, sanguinaires ?

Nous ne parlons pas de ça, Florence Aubenas et moi. De sa captivité à elle, je veux dire. Pas tout de suite, pas directement. Je sais qu'elle n'a pas envie de revenir là-dessus, de s'épancher.

Pas envie de demeurer une ex-otage à vie, Florence Aubenas.

Ses conditions de détention, elle en a parlé en long et en large dans les jours qui ont suivi sa libération. C'était obligé.

Son enlèvement avait donné lieu à une mobilisation monstre en France, tout le monde attendait ses commentaires. Pas seulement en France, d'ailleurs.

Je me souviens, j'étais à Paris, à ce moment-là. Je t'ai tout de suite téléphoné quand j'ai appris qu'elle était libérée. Tu étais au bord du fleuve, avec les enfants. Tu étais entre deux reportages, entre deux guerres. Après le Darfour, où les prises d'otages par les rebelles se multipliaient, ce serait l'Afghanistan, avec ses routes piégées, ses attentats.

Florence Aubenas a quitté l'Irak le 11 juin 2005. Le 12, elle a foulé le sol français, a remercié brièvement tous ceux qui s'étaient mobilisés pour sa libération. Et le 14, elle s'est présentée, amaigrie de douze kilos, devant deux cents journalistes venus de partout à Paris, pour raconter sa captivité.

«C'est quatre mètres de long, deux mètres de large, et en hauteur on ne peut pas tenir debout, c'est à peu près un mètre cinquante. Il n'y a pas de lumière, c'est entièrement sombre, noir, complètement noir, pas un bruit. J'entendais juste – c'était l'hiver – les gouttes qui tombaient des tuyaux rouillés au plafond. La seule lumière était une lueur, une petite lampe dans la bouche d'aération qui changeait l'air, l'oxygène de la cave, puisqu'il n'y avait ni fenêtre ni ouverture.»

Cette façon de raconter. Avec distance, pudeur. Cette force, cet aplomb, cette dignité. Florence Aubenas suscitait l'admiration.

«Ce que je faisais, c'était compter. Je comptais les jours, je comptais les minutes, je comptais les poutres au plafond, donc je comptais tout. Je comptais les pas, aussi, et une vie dans une cave, c'est vingt-quatre pas par jour. Vingt-quatre pas, c'est aller aux toilettes deux fois par jour et revenir. C'est quatre-vingts mots. C'est les mots qu'on peut prononcer avec les gardiens.»

Florence Aubenas ne voulait surtout pas qu'on la plaigne. Elle se permettait même de faire des blagues.

«Je bougeais beaucoup, donc plusieurs fois j'ai été punie parce que je bougeais trop sur le lit. C'est vous dire que c'était quand même assez encadré comme stage (rires).»

C'était dit, c'était derrière. Elle avait quarante-quatre ans, elle allait recommencer à pratiquer son métier. Pour le journal *Libération*, puis, pour *Le Nouvel Observateur*.

Elle allait aussi terminer le livre qu'elle avait entrepris avant d'aller en Irak, où elle devait ne rester qu'un mois. Un livre sur l'affaire d'Outreau. Sale affaire, où des innocents avaient été accusés de pédophilie, et qu'elle avait suivie comme journaliste pendant des mois. *La Méprise* est paru à l'automne 2005.

À quelques reprises, par la suite, il lui est arrivé de répondre dans les médias à des questions sur sa détention. L'occasion pour elle de mettre les points sur les *i* : « Je suis un accident professionnel, pas une victime. Les risques d'enlèvement, je les connaissais avant de partir en Irak. »

Un accident professionnel. Cinq mois et demi ligotée dans une cave, sans savoir si elle allait s'en sortir vivante. Un accident professionnel, tout simplement. Tu te rends compte ?

Les risques d'enlèvement, tu as toujours refusé d'en parler ; pourquoi ? Avec moi, en tout cas. C'était tabou, entre nous. Ça l'est resté. Comme si le simple fait d'évoquer cette chose-là pouvait attirer le malheur sur toi.

Quand Florence Aubenas a quitté Paris pour Bagdad, le 15 décembre 2004, deux Italiens, un journaliste et un travailleur humanitaire, avaient été capturés, puis exécutés, en Irak. Les journalistes français Georges Malbrunot et Christian Chesnot étaient détenus en otage – ils seraient libérés six jours plus tard.

Ce n'était pas le premier séjour de Florence Aubenas en Irak. Elle était à Bagdad, le 19 août 2003, quand une bombe a éclaté dans les locaux des Nations Unies. Vingt-deux personnes tuées, de nombreux blessés.

Tu te souviens ? Tu regardais les images à la télé, avec moi. Tu étais estomaqué. Tu reconnaissais l'endroit, tu y étais quelques mois auparavant. Tu te revoyais là-bas, tu revoyais les lieux, intacts. Tu revoyais tout, tu n'en revenais pas.

Moi, je ne voyais qu'une chose : toi. Là-bas. Mort. Démembré.

— *C'était atroce. Il y avait des pieds, des mains, un peu partout. Ce n'est pas comme à Paris : la violence n'est pas cachée. Vous voyez des gens qui agonisent par terre, c'est une violence sans filtre.*

Florence Aubenas était en reportage avec un groupe de journalistes étrangers, ce jour-là. Elle a fini par rentrer à l'hôtel, avec ses collègues. Ils ont tous téléphoné à leurs proches : « Ne vous inquiétez pas, tout va bien », bla-bla-bla.

— *Là-dessus, on parle, entre nous, de notre journée : « Est-ce que tu as vu, toi, la main dans l'arbre, le pied à côté ? » Des conversations de bureau entre des personnes dont c'est la vie, quoi !*

Ils mangeaient tous ensemble, sur la terrasse de leur hôtel, à Bagdad.

— *À l'époque, c'était beaucoup plus cool, plus agréable que ça ne l'est maintenant. On pouvait rester tranquillement dehors, il y avait des petits chats, des petits chiens, c'était très bucolique.*

Tout à coup, un petit chat a failli passer sous une voiture, devant eux.

— *Tous les journalistes qui venaient de voir des mains, des pieds, des morceaux de cadavres humains, se sont exclamés : oh, le pauvre petit chat ! Alors qu'aucun d'entre eux n'avait poussé de cris en voyant des corps démembrés par terre, parce que tout le monde prenait des notes.*

Prendre des notes devant des corps démembrés par terre : je sais bien que les reporters de guerre doivent s'y résoudre. Sinon, ils n'ont rien à faire là. Pas plus que les ambulanciers, les policiers, les enquêteurs, les pathologistes, devant une scène d'accident, une scène de meurtre, de carnage, ou des cadavres à disséquer.

Mais comment parvient-on à faire ça ? Question de tempérament ? À force d'habitude ? Parce qu'on a un travail à faire, tout simplement ?

L'horreur, qui s'incruste dans la mémoire, Florence Aubenas l'a côtoyée souvent. La première fois, c'était au Rwanda. En juillet 1994. Juste après le génocide.

— *J'avais déjà plus de trente ans. J'étais un peu allée en Algérie et au Maroc, mais sinon, je bossais tout le temps en France. Au journal, on me dit : « Voilà, le type qui fait l'Afrique est en vacances. Il y a un génocide au Rwanda, il faut quelqu'un pour couvrir ça. »*

C'était le 14 juillet, jour férié, Fête nationale des Français, il n'y avait personne dans les rédactions en France... Du jour au lendemain, Florence Aubenas a basculé dans un autre monde, une autre réalité.

— *C'était la fuite des Hutus, il y avait un million de personnes sur les routes. Les gens mouraient de faim, de soif, d'épuisement. Ils s'assoyaient, et mouraient devant vous. C'était incroyable, inouï. C'était au point où les travailleurs des organisations humanitaires disaient aux gens : « Vous, vous allez mourir, vous vous mettez ici ; vous, vous allez vivre, vous vous mettez là ». Et les gens le faisaient vraiment, tellement on était au-delà de tout.*

Elle est restée là-bas près de trois mois.

— *Je me souviens, au retour, je prends un taxi de l'aéroport jusque chez moi, et je vois des gens couchés par terre dans Paris. C'était des clochards qui dormaient. Je dis au chauffeur : « Merde, ici aussi, les gens meurent dans la rue ? » J'étais complètement dans mon truc, quoi !*

Sur place, au Rwanda, elle n'a pas fait que prendre des notes. Elle a agi, concrètement. Elle a franchi la ligne rouge entre être témoin et s'impliquer sur le terrain, cette ligne que bien des journalistes et la plupart des théoriciens de l'information considèrent comme sacrée.

— *J'étais en voiture, j'arpentais les routes où les gens fuyaient à pied, sans moyens, sans rien. Un jour, une mère me dit : « Prenez mon fils, il va mourir. » Je l'ai pris.*

Une ruée a suivi. C'était la pagaille, les gens se sont précipités sur sa voiture avec leurs enfants.

— *Comme je ne peux pas choisir, je n'en prends aucun ? Je préfère prendre six personnes plutôt que de dire non. Évidemment que six, ce n'est pas assez, mais c'est déjà ça, je trouve. Évidemment que je ne suis pas là pour ramasser des gamins, sauver des vies, mais pour raconter ce qui se passe. Je ne dis pas que cela ne m'a pas causé des problèmes de conscience par la suite. Mais ça m'aurait semblé indigne et dégueulasse de ne pas les prendre.*

Elle a pris les enfants qu'elle pouvait dans sa voiture et voilà, elle les a conduits dans un endroit où d'autres pouvaient s'occuper d'eux, une sorte d'orphelinat.

Une autre fois, au Burundi, plutôt que d'envoyer le reportage attendu par son journal, elle a aidé une personne en détresse.

— *J'étais en train d'interviewer une famille, la femme chez qui j'étais se met à accoucher. Ça se passe mal, elle hurle, il y a du sang partout. Le mari dit : « Il faut l'emmener à l'hôpital. » La seule voiture qu'il y a, c'est la mienne.*

Florence Aubenas n'a pas écrit son papier ce jour-là. Elle l'a envoyé le lendemain. Devoir d'assistance à une personne en danger : c'est ce qui a primé.

— *Ne pas envoyer un papier, ce n'est pas bien. Mais ne pas envoyer un papier parce qu'une personne est train de mourir sous vos yeux… Je pense qu'on ne peut pas ne pas s'impliquer à un moment donné. Je pense même qu'il le faut, parfois.*

Un jour, je te demanderai ce que tu en penses, toi. Je te demanderai : qu'est-ce que tu aurais fait, toi, à la place de Florence Aubenas, au Rwanda, au Burundi ?

Tu me parleras d'un orphelin, au Congo. Un jeune garçon brillant, au sourire étincelant, sans le sou. Sans jambes. Quêtant par terre sur un tas de chiffons sales. Que tu as aidé. Pour qu'il puisse manger. Que tu as continué d'aider. Pour qu'il puisse se sortir du trou, faire des études.

Tu me diras : ce n'est pas assez, je sais

— *Vous vous souvenez du photographe sud-africain qui a fait la photo d'une petite fille dans un camp de réfugiés ? On la voit, elle est en train de mourir, elle est toute petite, toute maigre, et il y a un vautour qui la guette…*

« Vautour guettant une petite fille en train de mourir de faim ». C'est le titre de la photo. Prise en 1993, au Soudan. Par Kevin Carter.

— *Le type a pris sa photo, et il est parti, il est rentré chez lui.*

La photo a fait le tour du monde. Elle a valu au photographe un prix Pulitzer, en 1994.

— *Il s'est fait traiter d'ordure. On a dit : il y a un deuxième vautour, c'est le photographe.*

On n'a jamais eu de nouvelles de la petite fille. Kevin Carter, lui, a fini par se suicider, le 27 juillet 1994.

— *Comment réagir face à l'horreur ? Qu'est-ce qu'on fait, est-ce qu'il faut faire quelque chose ? On est toujours confronté à ça, sur le terrain.*

Florence Aubenas parle aussi de toutes ces personnes qu'elle a laissées derrière elle, dans la misère, et qu'elle ne parvient pas à oublier.

— *Quand j'avais été prise en otage, ça m'a frappée. Les gens me disaient : ça doit être horrible, pour vous ! Je répondais : mais attendez, il y a des femmes, des hommes, des enfants, là-bas, qui sont toujours en train de mourir ! Je ne vais pas me mettre à pleurer ici, alors que là-bas, il y a encore des voitures piégées. Eux, ils n'ont pas de billet de retour. Eux, c'est là-bas et puis c'est tout.*

Autre chose l'a frappée, à son retour d'Irak, en juin 2005.

— *Les gens m'enviaient. Ils ne m'enviaient pas d'avoir été dans une cave, ils enviaient la confrontation au réel. Ils enviaient le fait que j'aie touché le réel, l'expérience dure, concrète, alors qu'ici, à Paris, on vit dans une espèce de bain tiède.*

Je pense à ce qu'a dit un jour, à propos de notre pays, le dramaturge québécois d'origine libanaise Wajdi Mouawad, qui a connu la guerre enfant : un pays « si monstrueusement en paix ».

— *Il y a cette impression généralisée que seule la guerre révèle l'être humain. Et que, parce que vous, vous l'avez vue de près, vous avez eu accès à une espèce de vérité. Par définition, un journaliste, malheureusement, vit là-dedans : c'est son boulot. C'est comme un médecin : il ne voit pas des gens en bonne santé, il voit des gens malades. Nous, on voit des pays malades, des situations malades.*

La guerre : une maladie. D'accord. Je suis d'accord avec Florence Aubenas. Mais les reporters de guerre, ils soignent quoi, ils soignent qui, au juste, dis-moi ?

— *Il y a des journalistes qui défendent une esthétique de la guerre, du genre les Rolling Stones à fond la caisse... Moi, je déteste ça. Il y a pas mal de mecs qui ont fait Sarajevo qui étaient dans ce truc-là : mon Dieu que la guerre est jolie ! Alors que c'est épouvantable. C'est des situations de poison pur. Ça ne révèle pas du tout les gens, ou alors, ça révèle le pire, jamais le meilleur.*

Jamais le meilleur, vraiment ? Je croyais que certaines personnes révélaient des qualités insoupçonnées, extraordinaires d'humanité, en situation en danger, de conflit. Je croyais...

— *Les gens bien, vous n'avez pas besoin de tuer leur mère pour savoir qu'ils allaient être dignes en la pleurant.*

Dans la guerre, ce n'est pas la guerre qui intéresse Florence Aubenas, finalement.

— *La guerre n'est rien, en soi. Je pense qu'il faut aller à la guerre pour chercher un pays, chercher des gens, par-delà la guerre.*

Quant au reste, les dangers encourus, les risques pris, ça fait partie du métier de reporter de guerre, pour elle, voilà tout. Pas question, surtout pas, d'alarmer ses proches avec ça au téléphone quand elle est en reportage.

— *On ment tout le temps, tout le temps.*

Elle rigole. Elle trouve ça drôle, quand je lui parle de tes appels tout-va-bien-ma-chérie.

— *On fait tous ça. On prend tous des risques, et la façon de mesurer ces risques, c'est autre chose là-bas sur le terrain qu'ici à Paris. On sait bien que ça ne collerait pas.*

Ça ne colle pas, non, vraiment pas, quand tu m'appelles d'un pays en guerre. C'est le moins qu'on puisse dire. L'impression que j'ai, moi, devant tes esquives, c'est que tu m'infantilises.

J'ai beau savoir que tes intentions sont louables, que tu ne veux pas, surtout pas m'inquiéter, en rajouter, quelque chose en moi tire la sonnette d'alarme. Et je me dis que je ne pourrai plus jamais te faire confiance.

Comment faire confiance à quelqu'un qui ment tout le temps ? Tout le temps.

— *Des fois, avec le recul, je vois ce que j'ai fait, je me dis : ouais, sur le terrain, j'étais avec des gens qui réfléchissaient d'une certaine façon, mais vu d'ici, après coup, c'est gros.*

Gros comme la fois où tu t'es aventuré, sans le dire à personne, dans la jungle indonésienne, avec des factions armées ? Que vous vous êtes enfoncés de plus en plus dans la forêt, toi ne maîtrisant rien, sans avoir la moindre idée de là où ces gens, armés jusqu'aux dents, te conduisaient ? Sans savoir si l'un de ces illuminés n'allait pas te tirer dessus ? Tout ça pour quoi ? Pour obtenir une entrevue exclusive avec leur chef, c'est ça ?

Florence Aubenas, elle, évoque le Rwanda. Bien après le génocide. En 1998. Lors de son deuxième long séjour là-bas.

— *Les camps de réfugiés avaient été bombardés et vidés. Les réfugiés se sont retrouvés dans la montagne. C'était des Hutus, des génocidaires, ils étaient poursuivis par l'armée tutsie qui avait repris le pays. Les types se retrouvaient dans une forêt où personne n'avait rien à manger, ils couraient en bandes comme des sauvages, poursuivis par des soldats qui voulaient les tuer.*

Au départ, c'étaient des rumeurs qui couraient, elle ne savait pas si c'était vrai. Elle a voulu aller voir. Elle est partie en expédition avec un travailleur humanitaire.

— *On a passé une semaine dans la forêt, qui était en fait une sorte de brousse. C'était atrocement dangereux : personne ne sait que vous êtes là, vous pouvez être tuée par les uns et les autres. Mais sur le coup, je n'ai pas pensé à ça. C'était dingue. On était partis sans eau, on n'avait pas du tout calculé les choses, mesuré les risques. On était morts de soif, on mettait des trucs pour recueillir l'eau de pluie. On n'avait pas assez à manger, non plus. Quand je suis redescendue de la montagne, au bout d'une semaine, j'avais les cheveux qui se dressaient sur la tête.*

Ensuite, en alternance avec d'autres reportages en eaux plus ou moins calmes, Florence Aubenas a couvert la guerre en Tchétchénie, la guerre au Kosovo, la guerre en Afghanistan. Puis la guerre en Irak. Puis, plus de guerre du tout.

— C'est compliqué. Mes patrons, ça leur fait peur, maintenant, de m'envoyer en reportage. Avant, c'était mon métier. Maintenant, ils se disent : s'il lui arrivait quelque chose… Avant, j'avais un argument magique, qui était de dire : il ne m'est jamais rien arrivé. Ce qui était mon cas. Maintenant, l'argument est caduc.

Je pense à ce que disait le grand reporter de guerre polonais Kapuscinski : «Je crois à la chance et au destin, car beaucoup des collègues avec qui j'ai travaillé, des journalistes de ma génération, sont morts, alors que moi, je suis toujours vivant.»

J'ai revu Florence Aubenas un an plus tard.

Cette fois, je la rencontre au *Nouvel Observateur*. Dans son petit bureau vitré, qui donne sur la Place de la Bourse, à Paris.

Elle est retournée au Kosovo.

— Je n'étais pas dans la guerre à proprement parler, mais dans une situation un peu trouble, disons.

Elle est aussi allée au Tchad.

— Ce n'était pas tellement plus calme, comme situation… Mais vous savez, les situations à risque, vous ne les sentez pas forcément. Pas tant qu'il ne vous arrive pas quelque chose.

Elle raconte que parmi les endroits les plus dangereux où elle est allée, il y a l'Algérie dans les années 1990. Et qu'à aucun moment, pourtant, elle n'a senti le danger, là-bas.

— Vous ne sentez réellement le danger que sur la ligne de front. En Irak, par exemple, vous roulez en voiture, il y a des gens qui marchent dans la rue, qui mangent dans les restaurants : c'est une guerre installée. Vous avez une vie relativement normale. Enfin, normale… vous devez vous planquer !

Elle est coincée entre son écran d'ordinateur qui clignote, son téléphone fixe et son téléphone portable qui n'arrêtent pas de sonner. Elle joue avec de petits trombones éparpillés sur son bureau, les tortille machinalement, les étire, les déforme, les démembre.

Je la sens nerveuse, tendue. Préoccupée. Différente, en tout cas, de la première fois, dans le petit bistro à côté.

Je lui demande si elle va retourner en Irak.

— Pas maintenant. J'aurais l'impression de fanfaronner. Ce serait vraiment un pied de nez à ma famille, à des gens qui ont fait beaucoup pour moi.

Pas d'enfants, pas de mari, Florence Aubenas, mais de la famille, des proches, des amis, tout de même. Qui tiennent à elle, se sont inquiétés pour elle, ont fait des pieds et des mains pour la sortir de sa cave irakienne.

— Mais sinon, quand ça se sera un peu calmé là-bas, oui, certainement, j'y retournerai. J'aimais ce pays, je l'aime encore. Il m'est arrivé ça là-bas... Mais bon, ça ne change pas mon idée de l'Irak.

Elle sortait voilée, prenait toutes sortes de précautions, avant d'être enlevée avec son fixeur, le 5 janvier 2005, juste au moment où elle quittait l'Université de Bagdad. Elle venait de rencontrer des réfugiés de Fallouja, par l'intermédiaire d'une ONG islamique.

Ses ravisseurs? Elle dit qu'elle ne sait pas qui ils étaient au juste.

— Je pense que des gens le savent, mais moi, je n'ai pas cherché à le savoir. Je ne me vois pas appeler la Direction générale de la sécurité extérieure (DGSE) et enquêter sur mon propre cas.

Selon le *Times* de Londres, la France aurait payé dix millions de dollars pour sa libération.

— Je n'ai pas cherché non plus à connaître les dessous des négociations. Ce n'est pas à vous qu'on va dire pour combien vous avez été échangée. Peut-être que vous êtes la plus exclue de votre propre histoire, finalement.

Quand je lui demande si elle a l'intention d'écrire un livre sur sa détention, un jour, comme l'ont fait après coup plusieurs journalistes pris en otage, Florence Aubenas grimace.

— Les ravisseurs, dans le peu de relation qu'on avait avec eux, maniaient toujours la menace et la promesse. Ils disaient : « Si vous ne faites pas ça on vous tue », ou alors, « Faites ça parce que vous avez intérêt, ce sera mieux pour vous ». C'était toujours un peu la carotte ou le bâton. Les jours où c'était carotte (rires), ils disaient : « Vous allez voir, vous finirez par vous en

tirer, vous écrirez un livre, vous deviendrez célèbre, aussi célèbre que Lady Di. » C'était leur grand truc, leur argument massue. *Ça m'a toujours tout le temps tellement dégoûtée. Je me suis dit : leur bouquin, ils peuvent se le foutre au cul. Alors voilà : je n'ai pas envie de leur donner raison.*

Nous sommes en juin 2008.

Au printemps 2009, surprise : je tombe sur un livre dans lequel Florence Aubenas revient sur son parcours de journaliste. Et sur sa détention en Irak.

Je tombe là-dessus : « Nous étions comme des animaux. À chaque fois que la porte s'ouvrait, j'étais persuadée qu'on venait me chercher pour mourir. »

Un autre passage me frappe : « Je n'avais pas du tout le sentiment de subir une injustice. À aucun moment je n'ai pensé que je regrettais d'être venue en Irak. Je savais pourquoi j'étais là. Si c'était à refaire, je le referais et je l'assume. »

Dans les faits, ce livre, *Grand reporter*, est une transcription. La transcription d'une conférence donnée par Florence Aubenas, devant un groupe d'enfants, en France.

Autrement dit, comme l'indiquait un journaliste français à la sortie du livre : « Un témoignage par effraction. Un *coming out* discret qui ressemble à Florence Aubenas. »

Après la conférence, les jeunes pouvaient poser des questions. « Qu'avez-vous ressenti en Irak ? » C'est la première chose qu'ils ont demandée à Florence Aubenas.

Elle a commencé par dire qu'elle était consciente des risques qu'elle prenait en se rendant là-bas. Puis : « Je défends la position selon laquelle les journalistes doivent continuer à aller dans ces pays malgré le danger : c'est justement dans ces cas-là que nous devons plus que jamais continuer à rendre compte des événements et ne pas laisser ceux qui y vivent disparaître dans un brouillard de violence et d'incompréhension. »

En lisant ça, j'ai pensé à toi, évidemment. Et à moi. Sur le balcon, au bord du fleuve, la veille de ton départ, ton premier départ pour un pays en guerre : il faut des journalistes sur le terrain, d'accord, mais pourquoi toi, précisément…

Attends. Florence Aubenas a dit aux jeunes : « Que penseriez-vous d'un chauffeur routier qui refuserait de conduire pour ne pas avoir d'accident ou d'un maçon qui ne voudrait plus monter sur l'échelle par peur de tomber ? »

Dans son petit bureau vitré du *Nouvel Observateur*, tandis qu'elle tortillait machinalement ses trombones, les étirait, les déformait, les démembrait, Florence Aubenas m'a annoncé comme si de rien n'était qu'elle s'apprêtait à partir... pour l'Afghanistan.

— *La France s'implique maintenant aux côtés des Américains et du Canada. Où est-ce qu'on a foutu les pieds ? Pourquoi on fait ça ? Où en sont les talibans ? C'est quoi, l'Afghanistan, aujourd'hui ? Voilà ce dont j'ai envie de traiter.*

Dans son petit livre *Grand reporter*, je lirai ceci, ensuite, concernant son départ pour l'Afghanistan : « Je voulais en avoir le cœur net : est-ce que j'allais tenir le coup ? »

« Voyage dans un pays en miettes ». C'est le premier reportage qu'elle a publié dans *Le Nouvel Observateur* après son arrivée là-bas, à la fin du mois de juillet 2008. Le premier d'une longue série de reportages, dans le premier pays en guerre où elle mettait les pieds depuis son enlèvement.

Elle a tenu le coup, oui. Et elle est revenue à Paris avec tous ses morceaux. Des nerfs d'acier, un modèle de courage, Florence Aubenas, sans aucun doute.

Je ne sais pas ce que tu aurais fait, à sa place. Je ne sais pas si tu aurais entrepris ce voyage dans un pays en miettes, pour en avoir le cœur net.

Mais je sais qu'autant je l'admire, elle, pour ça, autant je t'en aurais voulu, à toi, de faire ça. C'est injuste, mais c'est plus fort que moi. Il y a cette coupure entre ce que je comprends et ce que je ressens.

Il y a cette déchirure, cette brûlure, là, au plexus, dès le moment où tu franchis le seuil de la maison, avec ton sac à dos, tes deux magnétos et ton gilet pare-balles.

Il y a les autres.

Et il y a toi.

CHAPITRE 3

Le danger en question

Comment les autres peuvent-ils me rapprocher de toi ?

C'est insensé, ce que je fais là. Et je le fais, pourtant. Je cherche qui tu es, qui est l'étranger qui partage ma vie, à travers ces reporters qui risquent leur vie dans la guerre.

C'est plus fort que moi, je persiste, je continue. Je cherche.

Après Florence Aubenas, Roger Auque. Pris en otage dans un pays en guerre, lui aussi. Et reparti couvrir la guerre par la suite, lui aussi.

Roger Auque a été enlevé par des islamistes du Hezbollah, au Liban. Il a passé trois cent dix-neuf jours en captivité. Près de onze mois. Du 13 janvier au 27 novembre 1987.

Ensuite, il a couvert la première guerre du Golfe, le siège de Sarajevo, le conflit en Afghanistan, le conflit en Irak...

— *Le reportage, c'est ma vie.*

Même réaction que Florence Aubenas, oui.

— *C'est comme lorsqu'on tombe de cheval : il faut remonter dessus.*

Sauf que lui, sur le coup, alors qu'il était détenu en otage dans une cave, il avait pris la décision, s'il s'en sortait vivant, de changer de vie, justement.

C'est ce qu'il raconte dans son livre *Otages de Beyrouth à Bagdad* : «Mon métier, au fond, est le cadet de mes soucis. Prendre autant de risques pour quelques informations, à quoi bon ? Si je suis là, c'est parce que j'ai mis ma vie en danger. Je réalise soudain combien il est superficiel de courir l'aventure. L'essentiel est ailleurs : avoir une femme, des enfants, une maison.»

L'essentiel est ailleurs… Tu ne trouves pas ça ironique ? Tu as une femme, des enfants, une maison. Et l'essentiel est ailleurs, pour toi. Pour lui aussi, remarque bien. Malgré sa révélation en détention, ses belles résolutions.

Trop beau pour être vrai, finalement, son mea-culpa.

Ça pourrait ressembler à une rechute pour les alcooliques, les drogués. Ça pourrait ressembler au blues du reporter de guerre. À un gouffre sans fond : l'appel incessant de l'action, du lointain. Le besoin inexorable de se mettre à l'épreuve, de se mettre en danger.

Roger Auque a mis trois années avant de remonter en selle. Passage à vide, dépression. Puis, poste de correspondant pour la radio française à Rome : la planque, quoi. Et l'ennui profond.

Il y a ça, chez toi aussi, non ? Ce refus de la petite vie tranquille. Cette peur de s'endormir. Ce désir de se surpasser, de se mesurer à l'inconnu, l'adrénaline dans le plafond.

Il y a quelque chose qui ressemble à ça chez moi aussi, remarque. Moi aussi, je cours après une certaine forme d'absolu, j'ai envie d'outrepasser mes limites, de donner un sens à ma vie. En dehors de toi, des enfants, de la maison. Tu le sais bien.

Tu le sais tellement que, lorsque je suis partie seule à Paris pendant trois mois avec une bourse en journalisme, alors que les enfants étaient encore petits, c'est toi qui as ramé comme un fou pour garder la tête hors de l'eau. Ce n'était pas dans la distribution classique des rôles, ça non.

Moi aussi, je suis animée par des rêves plus grands que moi. Sauf qu'il n'y a pas de talibans à mes trousses, de mines artisanales sur ma route. Pas de risques d'enlèvement au tournant, dans mon cas.

Pas de roulette russe que je nargue. Seulement la mort qui sera là de toute façon, un jour, inéluctable.

Quand Saddam Hussein envahit le Koweït en 1990, ça y est, Roger Auque est mûr. Il se demande s'il va tenir le coup, sans doute. Mais il y va, il saute dans le tas. Il redevient le cow-boy qu'il n'a jamais cessé d'être, au fond.

C'est aussi la période où naît son premier enfant.

Il en aura deux autres par la suite.

Rien à voir avec Florence Aubenas, ça non. Il n'a pas eu à choisir, à trancher. Être père et reporter de guerre, pourquoi pas ? Où est le problème, n'est-ce pas ?

Aucun problème. On peut non seulement être père, on peut même être un bon père, quand on est reporter de guerre, selon Roger Auque.

— *Il y a des gens qui ont un travail de bureau, qui voient leurs enfants tous les jours, mais ne savent pas établir une vraie relation avec eux. Moi, même si j'ai été absent souvent, et pendant de longues périodes de temps, au retour, j'étais complètement avec eux.*

Une façon de se convaincre lui-même ? De se dédouaner à ses yeux, aux yeux de ses enfants ?

Tu me diras que tu as été absent moins souvent, moins longtemps que lui. C'est vrai.

— *Sur mes trois enfants, il y en a deux dont je me suis vraiment occupé. Ma plus jeune, quand je suis à Paris, je la vois tous les jours, je déjeune avec elle, je vais la chercher à l'école.*

Le reste du temps, il se passe quoi, tu crois ? Distribution classique des rôles, j'imagine.

— *Les rêves, les voyages, l'exercice d'un métier qui nous passionne, c'est important dans la vie. Et les enfants finissent par comprendre ça.*

Bien sûr. Sauf que là n'est pas la question. La question est de mettre sa vie en danger quand on a des enfants, et une femme, incidemment.

La question est de mettre sa vie en danger, point.

Tu n'aimeras pas que je te compare à lui. Je sais. Roger Auque traîne une réputation de play-boy, de bagarreur, de crâneur. Le genre de personne, le genre d'homme que plusieurs prennent un plaisir féroce à détester.

Col ouvert, bronzé, il sirote tranquillement sa bière. Il a l'air blasé. Tout pour te donner raison.

— *Mes trois enfants sont nés de mères différentes.*

Nous sommes dans une brasserie parisienne du XVIe arrondissement, c'est l'heure de l'apéro. Face à lui, une partie de foot se joue à la télé. Championnat d'Europe. Le son est au maximum, je dois tendre l'oreille pour entendre ce qu'il dit.

— *J'ai mieux réussi ma vie de famille que ma vie de couple.*

Il fait la moue, les yeux rivés sur l'écran.

— *J'ai eu des moments où je me suis senti déchiré entre ma vie de famille et ma vie de reporter de guerre. Surtout pendant la guerre en Irak, par rapport à ma fille, qui avait six ou sept ans à l'époque.*

Il s'anime, tout à coup. Je ne sais pas si c'est à cause du match de foot ou à cause de ce qu'il est sur le point de dire.

— *La cerise sur le gâteau, le* top *dans ce métier, c'est quand même d'être là où il y a un événement fou.*

On dirait un petit garçon. Un petit garçon les poches pleines de bonbons.

— *Quand on sait que ça va faire la manchette, c'est sûr qu'on a envie d'être là!*

Roger Auque était à Bagdad, en même temps que Florence Aubenas, lors de l'attentat contre le siège de l'ONU, en août 2003. Il était là bien avant. Il a vu les soldats américains débarquer, puis le régime de Saddam Hussein tomber.

Dans *Otages de Beyrouth à Bagdad*: «J'ai la sensation de vivre en direct l'actualité, l'histoire. Bagdad tombe, Bagdad est libérée! Moment d'émotion, et poussée d'adrénaline. C'est pour cela que j'ai choisi ce métier.»

Il a vu en direct la statue du président irakien se faire déboulonner. Moi, comme tout le monde, j'ai vu ça à la télé. Tu étais avec moi dans le salon, tu avais du feu dans les yeux. Tu rageais de ne pas être là-bas.

Ce ne serait qu'une question de jours. Tu avais tes vaccins, ta nourriture en sachet. Tu avais tout. Ton sac à dos, tes deux magnétos et ton gilet pare-balles étaient déjà prêts.

La tension montant en Irak, Roger Auque a fini par ne sortir qu'armé, ou avec des gardes du corps. Quand il sortait… Certains parlent de lui comme d'un journaliste « de terrasse ».

Lui-même, lors d'un forum sur le site internet du *Nouvel Observateur*, en avril 2005, décrivait ses journées de travail ainsi : « Tôt le matin, je fais des papiers pour les radios françaises, suisses, belges et canadiennes, je regarde les chaînes de télévision arabes, les dépêches des agences, je me fais traduire les journaux irakiens. Ensuite, je fais mon footing le long du fleuve au milieu des roseaux, sous le soleil. »

Pas vraiment l'image qu'on se fait d'un reporter de guerre. Pas du tout ton genre, je sais.

« Ensuite, des informateurs ou des responsables irakiens viennent me voir, prendre le café. Parfois, je sors dans Bagdad pour un rendez-vous précis mais toujours très bref car je pense que pour bouger dans Bagdad, les journalistes doivent désormais avoir une protection armée. Et le reste de la journée, je fais les plateaux, les directs pour les télévisions. »

On dirait une vedette de cinéma, une star. On dirait Lady Di poursuivie par les paparazzis, tu ne trouves pas ?

Il faut dire qu'il y avait eu plusieurs enlèvements de journalistes, déjà. Florence Aubenas était toujours détenue en otage, à ce moment-là.

— *Je suis resté quand même, parce qu'il faut bien vivre et bouffer.*

La différence entre journaliste pigiste (lui) et employé régulier dans une entreprise de presse (toi) ?

— *Je suis resté, aussi, parce que j'aimais bien être parmi les derniers journalistes occidentaux à rester en Irak.*

La différence entre Roger Auque et toi ?

Au Liban, déjà, au moment de son enlèvement, en 1987, il était parmi les derniers journalistes occidentaux encore sur place. Ça ne lui a pas suffi. Rester, envers et contre tout, rester à tout prix : c'est sa philosophie.

Ne me dis pas que tu es d'accord avec lui, si ?

— *Psychologiquement, ça a été très dur, pour moi, les enlèvements en Irak. J'ai couvert non seulement celui d'Aubenas, mais celui des autres journalistes français, avant, celui des Italiens… J'avais l'impression, chaque fois, d'être porté près de vingt ans en arrière.*

D'où l'écriture de son livre *Otages de Beyrouth à Bagdad*, en 2005. Même s'il avait déjà raconté à chaud sa captivité au Liban dans un premier ouvrage, *Un otage à Beyrouth*, il sentait le besoin d'y revenir, avec la distance des années. Il voulait remettre en perspective son enlèvement à lui, au Liban, à la lumière des enlèvements répétés en Irak.

Contrairement à Florence Aubenas, peu lui importe de rester un ex-otage à vie, on dirait. À moins que ça ne dépende pas seulement de lui, que ça se joue à son insu ?

Je pense à Jean-Paul Kauffmann. Tu te souviens de lui ? Trois ans de captivité au Liban. Roger Auque avait d'ailleurs été le premier journaliste à annoncer sa libération à Radio-Canada, en mai 1988.

Nous venions d'avoir notre deuxième enfant, nous étions en plein déménagement. Le plus loin que tu étais allé comme journaliste, à l'époque, c'était quoi ? Les États-Unis.

L'information internationale, tu la suivais de loin. Tu la suivais sur les fils de presse, dans les médias. Mais tu en mangeais, tu en rêvais. Tu attendais ta chance, tu trépignais d'impatience. Tu échafaudais des plans, tout en assemblant des meubles Ikea et en changeant des couches.

La crise des otages au Liban faisait grand bruit, à l'époque. Vingt ans plus tard, dans un documentaire, Jean-Paul Kauffmann confie : « Cela fait vingt ans que j'ai été libéré et cela fait vingt ans que ce statut d'ex-otage me colle à la peau. »

Dans ce documentaire, *Le Temps des otages,* où témoigne aussi Roger Auque, Jean-Paul Kauffmann ajoute : « Au début, on raconte son malheur, mais on devient assez rapidement le cabotin de sa propre souffrance. Être un ex-otage n'est pas un métier, une raison sociale ou une fonction. J'ai voulu arrêter. Mais je me suis rendu compte que le monde extérieur ne l'entendait pas de cette oreille… »

Ce n'est pas très loin de ce que Florence Aubenas me disait. À propos du fait que les gens l'enviaient : « Ils enviaient le fait que j'aie touché le réel, l'expérience dure, concrète, alors qu'ici, à Paris, on vit dans une espèce de bain tiède. »

Chaque fois qu'il y a une prise d'otage quelque part, ou qu'un otage est libéré, les médias s'arrachent Roger Auque. Ainsi, en juillet 2008, quand Ingrid Betancourt est relâchée après six ans de détention dans la jungle colombienne, se retrouve-t-il à commenter l'événement… et à reparler de sa propre captivité.

Mais Florence Aubenas n'y échappe pas non plus. Comme en témoigne une interview qu'elle a accordée quelques mois plus tard. On lui demandait si, comme Ingrid Betancourt, elle était passée par la case « dépression » après sa libération.

Sa réponse : « Non, mais il est tout à fait normal qu'Ingrid Betancourt connaisse des hauts et des bas. Après six ans de détention dans la jungle colombienne, c'est tout à fait humain de vivre une dépression. Remarquez, ce que j'ai vécu, moi, en Irak, n'était pas grand-chose comparé à l'horreur qu'elle a traversée. »

Quand l'interviewer lui fait remarquer qu'elle, contrairement à Ingrid Betancourt, ne semble pas avoir découvert Dieu pendant sa détention, Florence Aubenas rétorque : « Même pas, effectivement. D'ailleurs, ça en devient presque vexant. Dieu vient en aide à neuf otages sur dix. Et pas à moi. Je me pose des questions (rires). Sérieusement, il n'y a rien de plus normal que cet appel à Dieu quand on est otage. »

Roger Auque, tout comme Jean-Paul Kauffmann, a vécu « cet appel à Dieu », en détention.

— Je n'étais pas croyant, j'étais même anticlérical. Mais mes geôliers m'ont donné une bible en anglais, que j'ai lue tous les jours, et j'ai fait un cheminement spirituel. Depuis, je suis croyant.

Il est retourné au Liban. En 2006. En pleine guerre, encore une fois.

— Le Liban est un pays que j'adore. Il y a mon année de captivité, mais il y a six ans de super souvenirs là-bas. C'est là que j'ai appris mon métier, là que j'ai vécu les meilleurs moments de mon métier.

La première fois qu'il a mis les pieds au Liban, c'était comme combattant. Il était parti pour les yeux d'une fille. En 1980.

— J'ai suivi ma « blonde », comme vous dites chez vous. Elle était libanaise. Je me suis retrouvé avec son frère, sur la ligne de front, à tirer sur les Palestiniens, en pleine guerre civile.

Guerrier, reporter de guerre, même combat ?

— J'étais jeune quand j'ai pris les armes… j'avais vingt ans. J'ai été pris dans l'aventure, quoi !

Le goût de l'aventure : c'est ce qui l'a conduit au journalisme.

À son retour en France, il suit une formation en journalisme, obtient sa carte de presse. Et il repart au Liban, d'abord comme reporter photo, pour une agence. Peu à peu, il commence à faire de l'écrit, de la radio, de la télé.

En 1983, il est grièvement blessé.

— J'ai pris une balle dans la figure, à Beyrouth. Mais bon, j'ai eu de la chance.

La chance. La fameuse chance dont parle Ryszard Kapuscinski…

Je pense aussi à un ami de Roger Auque, le journaliste français Paul Marchand. Qui avait écrit sur le toit de sa voiture, alors qu'il couvrait Sarajevo assiégée : «Ne tirez pas, ne gaspillez pas vos balles, je suis immortel.»

Quand Florence Aubenas m'a parlé de ces «mecs qui ont fait Sarajevo» avec «les Rolling Stones à fond la caisse», c'est à lui que j'ai tout de suite songé.

À Sarajevo, Paul Marchand a été grièvement blessé, à un bras. Je me rappelle, j'étais présentatrice de nouvelles pour la radio, à l'époque. Combien de fois avais-je présenté ses topos en provenance de Sarajevo...

Il y avait eu une collecte dans la salle des nouvelles, pour lui venir en aide. Pour l'aider à payer son opération au bras. En tant que pigiste, il ne bénéficiait d'aucune assurance collective, d'aucune protection financière.

Je me rappelle aussi que certains journalistes disaient de lui qu'il était complètement fou. Paul Marchand le provocateur. Le casse-cou. Le trompe-la-mort.

Il s'est suicidé, en juin 2009. Il avait une petite fille de sept ans.

Avant de «faire» Sarajevo avec Roger Auque, Paul Marchand était au Liban. C'est là qu'il a commencé sa carrière de journaliste, à l'âge de dix-neuf ans. C'est là qu'ils se sont connus, tous les deux.

Paul Marchand était aux côtés de Roger Auque le 13 janvier 1987, quand il a été enlevé, en bas de chez lui, à Beyrouth-Ouest, au retour d'une interview. Une interview avec Terry Waite, l'émissaire anglican chargé d'obtenir la libération d'une quinzaine d'otages occidentaux... dont celle de Jean-Paul Kauffmann.

Sa captivité. C'est ce que Roger Auque a vécu de pire, en près de trente années de reportage de guerre.

Malgré tous les gens qu'il a vus mourir devant lui.

— *Et j'en ai vu beaucoup, ouais, tout le temps.*

Malgré toutes les scènes d'horreur auxquelles il a assisté, impuissant.

— *J'ai vu des enfants mourir devant moi en Irak, et ça, je ne peux pas l'oublier.*

Malgré la balle qu'il a reçue en pleine figure.

— *Comme otage, je savais que ma vie ne tenait pas à grand-chose. Et je ne pouvais rien faire. On est entre les mains de sauvages et on ne peut absolument rien faire. Tandis que, lorsqu'on est sous les bombes, que ça tire, on peut faire quelque chose : on peut courir, se mettre à l'abri.*

Courir, se mettre à l'abri, c'est bien beau, mais le cow-boy est fatigué. Roger Auque n'est plus correspondant en Irak, il n'est plus correspondant du tout.

Le reportage, c'est sa vie, sauf que…

— *J'ai fait le tour, comme on dit.*

Nous sommes en juin 2008. Il a cinquante-deux ans. Il arrive du Maroc, où il a donné une formation en journalisme. Il ne sait pas trop ce qu'il va faire ensuite.

Il envisage de faire de la politique. À temps plein. Il est depuis peu conseiller culturel dans le IXe arrondissement de Paris, sous la bannière UMP, le parti du président Sarkozy.

Devenir député au niveau national, puis ministre? Pourquoi pas. Il jongle aussi avec l'idée de se présenter sur la scène politique européenne.

— *En politique, on agit, on travaille sur le terrain, on fait des choses concrètes. C'est excitant. On n'est plus seulement un observateur ou un témoin qui prend des notes.*

Sinon, il se verrait bien devenir ambassadeur quelque part. Ce qui finira par lui arriver, d'ailleurs. Un peu plus d'un an après notre rencontre.

Mais tandis qu'il sirote sa bière, les yeux sur la partie de foot à la télé, il laisse quand même une porte ouverte. Autrement dit, si une guerre éclate quelque part, il ne peut rien promettre.

— *C'est sûr que si demain les Américains se tapent l'Iran, ça donne envie d'y être.*

Chassez le naturel, il revient au galop. Roger Auque n'exclut pas non plus la possibilité de retourner en Irak.

— *J'ai plus peur de me faire faucher par une voiture dans la rue, ici, à Paris, que de me faire tuer à Bagdad.*

Plus peur d'être tué à Paris qu'à Bagdad? Ça ressemble à une boutade. À toutes ces boutades que tu me racontes pour me rassurer. Pour te rassurer, toi?

Chapitre 4

Le numéro gagnant

Dans sa vie à lui, il y a l'avant, il y a l'après. L'avant et l'après Afghanistan. Dans la vie de sa femme aussi, nécessairement. Et dans celle de ses enfants, de sa famille.

— *Je ne veux pas faire du kilométrage là-dessus. J'espère que c'est la dernière fois que j'en parle.*

Dans ta vie à toi, dans la mienne aussi, nécessairement, et dans celle de nos enfants, de notre famille, il y a tout ce qui aurait pu arriver de pire au fil des ans.

Je veux dire : tout ce que tu as toujours refusé d'évoquer, toujours balayé sous le tapis. Devant moi, devant tous ceux qui tiennent à toi. Mais dans ton for intérieur, il se passe quoi ?

Lui, contrairement à toi, n'a jamais fait partie des reporters qu'on parachute dans les zones de conflit. Pas du tout. Il s'est retrouvé une fois, une seule, au milieu de la guerre. Et il a failli y passer.

— *Il y a eu un tourbillon à l'intérieur du blindé. L'explosion était tellement forte : on se serait cru dans un presto. Trois personnes sur cinq sont mortes, une autre a été grièvement blessée. Et moi, j'étais au milieu de tout ça. Et j'ai été épargné.*

Pourquoi, se demande-t-il encore aujourd'hui, pourquoi lui ?

— *C'est une mégachance. Ça reste un mystère, ça m'échappe complètement.*

Le 22 août 2007, à 18 heures 17, Patrice Roy, quarante-quatre ans, marié, père de jumeaux de huit ans et reporter de guerre pour la première fois de sa vie, est en train d'écrire le *stand-up* de son topo du jour, il a presque terminé, quand le blindé de l'armée canadienne à l'intérieur duquel il est confiné, où il devait rester trois heures et où il cherche son air depuis treize heures, roule sur une mine, à quelque cinquante kilomètres à l'ouest de Kandahar.

Deux soldats du Royal 22e Régiment de Valcartier, au Québec, sont projetés hors du blindé sous l'impact, de même qu'un interprète afghan. Morts, tous les trois.

— *L'interprète était juste devant moi. J'aurais pu être à sa place au moment où le blindé a sauté, et c'était fini. Pendant le trajet, il m'était arrivé d'être à sa place, pour tenir le trépied pendant que mon caméraman filmait.*

Le caméraman, Charles Dubois, vingt-neuf ans, est gravement blessé dans l'explosion : il devra être amputé en dessous du genou droit. Patrice Roy, lui, s'en tire avec une éraflure à la tempe. Et un choc nerveux.

Le lendemain, quand il apparaît à la télé, il est encore sonné, il a la voix brisée. Ce qu'il raconte ce jour-là et dans les jours qui suivent ressemble à ça : « J'ai vu Charles. On était tous les deux seuls dans le véhicule. Dehors, c'était la panique, la nuit tombait, l'essence coulait dans le blindé. Je n'étais pas capable de sortir Charles seul, on m'a aidé. Cette scène-là était apocalyptique. »

Cette scène-là contraste tellement avec celle que je vois à mon arrivée, le 3 février 2009, à 9 heures 45, dans un café montréalais. Patrice Roy, tout propret, chemise fraîchement repassée, trempe les lèvres dans un cappuccino, les yeux sur la télé, un journal ouvert devant lui.

À 18 heures précises, il animera, en direct, le Téléjournal Montréal de Radio-Canada. Présentateur de nouvelles : c'est son nouveau métier. Changement de cap pour l'ex-analyste politique, ex-chef de bureau de la colline du Parlement canadien à Ottawa, qui un jour décida de se jeter dans la gueule du loup.

— *C'est un changement de vie, c'est sûr, et c'est intervenu après l'Afghanistan, mais j'évite de faire des liens trop clairs. J'étais arrivé au bout du chemin à Ottawa, de toute façon.*

Il était employé à Radio-Canada depuis dix-huit ans, en poste à Ottawa depuis une douzaine d'années. Il avait envie de bouger, envie, pourquoi pas, de renouer avec l'aventure.

À ses débuts, avant d'être repêché par Radio-Canada, il était allé quelques fois en Russie pour faire des documentaires. Il s'était aussi rendu en Afghanistan.

Ensuite, comme correspondant parlementaire, il lui était arrivé de voyager, bien sûr. La plupart du temps pour accompagner le premier ministre canadien en mission officielle à l'étranger : Europe, Chine, Vietnam, Afrique…

Il lui était arrivé de se faire tirer dessus, sur une route, aux abords d'un petit village nigérian, alors qu'il suivait le véhicule où se trouvait le premier ministre Jean Chrétien.

En 2006 et en 2007, il avait accompagné le premier ministre Harper à deux reprises en Afghanistan, pour des visites éclair. Trois ou quatre jours à Kandahar, quelques jours à Kaboul, sans plus.

Très encadrés, comme séjours. Plutôt sécuritaires. Et frustrants : impossible dans un tel contexte de comprendre vraiment ce qui se passait sur le terrain.

Il s'était dit qu'il fallait qu'il reparte, seul, avec un caméraman, pour faire une série de reportages ou un documentaire en Afghanistan. Il en avait assez de couvrir d'Ottawa le grand débat politique de l'heure au pays : est-ce que les troupes canadiennes doivent rester en Afghanistan ou pas ? Pourquoi au juste sont-elles là ?

— *Je voulais comprendre ce que le Canada faisait en Afghanistan, ce que nos troupes faisaient là-bas au juste, quelle était leur véritable mission, avec ses écueils, ses échecs, et ses succès.*

Pas très loin des motivations de Florence Aubenas après que la France a annoncé l'envoi de troupes en Afghanistan, autrement dit.

Il insiste, il y tient :

— *C'était mon projet, personne ne m'avait demandé d'aller là-bas. D'où les points d'interrogation dans les yeux de ma femme ensuite.*

Treize journalistes étrangers avaient été tués en Afghanistan depuis le début du conflit. Il y avait des risques d'enlèvement. Patrice Roy le savait, bien sûr, comme Florence Aubenas, comme toi, mais il refusait de s'y arrêter, lui aussi.

Il n'avait pas l'expertise nécessaire pour se lancer tout seul dans cette aventure ; ça aussi, il en était conscient. Il a convaincu le caméraman Charles Dubois, qui était déjà allé cinq fois en Afghanistan, qui avait couvert la guerre en Irak et bien d'autres conflits, de partir avec lui.

Ça n'allait pas de soi.

— *Charles en avait un peu marre de ce genre de voyage-là. Il y est allé en grande partie pour moi.*

D'où le sentiment de culpabilité qui continue, encore aujourd'hui, d'habiter Patrice Roy.

— *Lui, il lui manque une jambe, pas moi. Comment est-ce que je pourrais oublier ça ?*

Le journaliste se reproche surtout de ne pas avoir écouté l'instinct de son caméraman.

— *Dès le départ, Charles m'a dit qu'il avait le sentiment qu'on allait se mettre les pieds dans un bourbier pas possible. Ça bardait sur le terrain, les mauvaises nouvelles s'accumulaient, les soldats tombaient.*

Une soixantaine de militaires canadiens étaient morts en mission là-bas, déjà. L'hécatombe continuerait, ça tomberait comme des mouches, ce serait effrayant.

On ne compterait plus les soldats canadiens, les militaires en mission, tous pays confondus, sans parler des Afghans, soldats et civils, tués dans les attentats talibans. Le pire, c'est que nous ne serions même plus émus.

Quand notre neveu choisirait de s'engager dans l'armée canadienne, on se demanderait quelle mouche l'a piqué. Il poserait fièrement dans son uniforme sur la photo que sa mère nous ferait parvenir. Je n'en croirais pas mes yeux, toi non plus.

Imagine un peu la réaction des patrons de Patrice Roy, quand il est allé les voir pour leur faire part de son intention de partir six semaines en reportage en Afghanistan : « Tu ne veux pas laisser ça à d'autres… ?! »

— *Ce n'était pas un projet facile à vendre, à personne.*

Ses collègues aussi se sont montrés étonnés, pour ne pas dire sceptiques. Tant pis. Patrice Roy est parti à Atlanta pour suivre un entraînement spécialisé donné par une firme britannique… le même que tu as suivi, comme la plupart des journalistes qui s'apprêtent à partir en zone à risque.

Au bout d'une semaine de formation, il s'est senti prêt à faire le grand saut.

— *Ça m'a forcé à penser encore plus au danger, bien sûr, mais mon intuition me disait : ça va aller, il faut que ça marche.*

Imagine maintenant la réaction de ses proches, de sa femme, Dominique.

— *La situation a été tendue jusqu'à la veille de mon départ. Mon entourage ne me laissait évidemment pas partir de gaieté de cœur. Ma femme m'a dit : « À quoi tu vas jouer, là ? Tu as deux jeunes enfants ! »*

Ça te rappelle quelque chose ?

Une fête familiale a eu lieu, au cours de laquelle la mère de Patrice Roy n'a pas pu s'empêcher de constater, comme elle le confierait le lendemain de l'explosion au journaliste de *La Presse* Pierre Foglia, que son fils était préoccupé ce soir-là, qu'il était, ce sont ses mots, «déjà parti».

Il avait des étourdissements.

— *Je ressentais physiquement le stress. Je savais bien que tout pouvait arriver.*

L'angoisse est pire avant de partir que sur le terrain : tous les reporters qui se retrouvent en zone de guerre le disent. Toi le premier.

Une fois les pieds là-bas, Patrice Roy s'est senti mieux. Finis les étourdissements.

— *J'avais encore la chienne, bien sûr, la chienne pure, mais là-bas, c'est là-bas…*

Là-bas, il avait d'autres chats à fouetter.

Le lendemain de son arrivée, un soldat du Royal 22e Régiment de Valcartier perd la vie après avoir roulé sur une mine. Simon Longtin, vingt-trois ans. L'âge de notre neveu.

— *C'était le premier soldat québécois tué en Afghanistan. Charles et moi, on s'est mis tout de suite en mode nouvelles. Je suis beaucoup allé en ondes.*

Sa femme et ses enfants le voient à la télé. Il leur écrit un courriel pour les rassurer : «Ne vous inquiétez pas, je suis en zone difficile, mais loin du danger.»

— *Ça semblait pire vu de loin, à la télé, que sur le terrain.*

Sur le terrain, Patrice Roy s'aventure, la nuit, sur différentes bases militaires. Son état d'esprit, en réalité, est celui-ci :

— *Quand tu roules dans un LAV-3, sans fenêtres, tu te demandes quand est-ce que ça va péter, tu ne peux pas faire autrement. Mais à un moment donné, ça devient une sorte de corps étranger, tu apprends à vivre avec. Ensuite, tu dis : je l'ai fait, je n'ai pas sauté. Donc, ça te rend plus fort.*

«Je l'ai fait, je ne suis pas mort.» C'est ce que tu t'es dit, en Afghanistan, la première fois. Après avoir accompagné des membres de l'Alliance du Nord sur la ligne de front.

Ils tiraient sur les talibans. Tu te disais : «Les autres vont bien finir par riposter, de l'autre côté…» Tu te demandais ce que tu faisais là. Tu t'es dit que tu ne voulais pas mourir.

Tu n'es pas mort, alors, bien sûr, tu t'es senti plus fort, ensuite.

Il t'aura fallu plusieurs années avant d'être capable de m'en parler. D'en parler à qui que ce soit, je crois.

Quelques jours après ses escapades de nuit en LAV-3 avec des soldats canadiens, Patrice Roy reçoit une proposition du Royal 22e : un groupe de militaires part en mission, pour prendre le contrôle d'une montagne sous le joug des talibans, à l'ouest de Kandahar, le journaliste et son caméraman souhaiteraient-ils accompagner le convoi en question ?

Tous les deux discutent, réfléchissent, hésitent. Les soldats les rassurent : vous allez être à la queue du convoi, ce n'est pas vraiment dangereux.

— *Évidemment, eux, ils vendaient leur salade, ils voulaient que Radio-Canada soit là, assiste à l'opération.*

Un autre journaliste canadien, employé par une chaîne privée, est sur place : il refuse d'embarquer. Patrice Roy, lui, finit par se persuader qu'il n'a pas le choix.

— *Tu ne peux pas expliquer aux Canadiens comment ça se passe sur le terrain si tu n'y vas pas. Tu ne peux pas leur montrer à quel point l'armée canadienne s'embourbe si tu ne le vois pas de tes yeux.*

Alors voilà, il y va, Charles Dubois aussi, le convoi se met en branle. Sauf qu'au bout de trois heures, au lieu de se terminer, comme prévu, l'opération continue. Et ça dure, ça dure.

— *Tu es là, tu ne peux pas sortir, tu es comme dopé. Je me souviens d'avoir dit à Charles qu'on n'arriverait jamais à décrire avec des mots ce qu'on était en train de vivre.*

Au bout d'un certain temps, rien ne va plus.

— *Les soldats ont fini par découvrir l'ampleur du bordel sur le terrain : ce n'était pas déminé, ils se faisaient tirer dessus, il y avait des talibans partout. Les gars étaient totalement dépassés.*

Une dizaine d'heures plus tard, les militaires finissent par monter la colline qu'ils devaient sécuriser en deux ou trois heures. Il fait quarante degrés, ils sont épuisés, ils s'affairent au déminage, et *paf* ! C'est là que ça se produit. Le blindé dans lequel se trouvent Patrice Roy et Charles Dubois actionne une mine en reculant dessus.

— *Je ne voulais pas être si près des combats, du danger. J'ai été pris dans un engrenage. Après, je me suis posé la question : es-tu malade, avais-tu vraiment besoin de voir l'horreur de la guerre de si près ?*

Sa réponse n'en est pas une, encore aujourd'hui.

— *À la base, il y avait un désir de témoigner. Et quand tu prends à droite, ou à gauche, tu n'as plus le choix, tu suis le chemin. Il n'y a plus de retour possible.*

Patrice Roy s'en veut encore. Mais il continue de penser qu'il y avait un sens à ce qu'il faisait. Ça fait toute la différence, pour lui.

— *Je ne me pose pas la question de ce que je faisais là, je le sais : j'étais là pour témoigner, pour faire une histoire.*

Même réaction que Florence Aubenas après sa captivité : « Je suis un accident professionnel, pas une victime. Les risques d'enlèvement, je les connaissais avant de partir en Irak. »

Pas de cauchemars par la suite. Pas de comportements erratiques. Patrice Roy n'a pas souffert de ce qu'on qualifie de choc post-traumatique.

— *Je vais peut-être m'écrouler dans un, deux ou six mois, mais ce que j'ai vécu n'a rien à voir avec les soldats qui reviennent de la guerre si mal en point, si traumatisés, parce qu'ils se disent que ça n'avait pas de sens de tuer des gens, de voir leurs camarades mourir.*

Pour son entourage, sa famille, par contre, l'expérience a été difficile à encaisser.

— *Le prix à payer pour ceux qui restent à la maison est énorme. C'est comme un tremblement de terre, pour eux. Ça a été terrible pour Dominique.*

Sur le coup, toutes sortes de rumeurs couraient. Certaines disaient qu'il était mort.

— *Tout le monde appelait ma femme, c'était un vrai central téléphonique chez nous.*

Ne me fais jamais le coup, je te préviens. Ne t'avise jamais de faire en sorte qu'on m'annonce que tu es mort. Même s'il s'agit d'une rumeur.

— *Ce sont les femmes qui s'inquiètent, qui restent à la maison tandis que leur mari est au front, que tu devrais rencontrer.*

Pour qu'on pleure toutes ensemble ? Non, merci.

Le pire de tout, c'est qu'il le referait. Je veux dire : il ne repartirait pas demain en Afghanistan. Non.

— *Je ne pourrais pas faire ça à mes enfants, à ma famille. Ce serait de la torture mentale envers eux.*

Mais il ne ferme pas la porte à l'idée de retourner là-bas un jour. Ou de se retrouver dans un autre pays en guerre. Même réaction que Florence Aubenas, oui, sauf que lui n'est pas reporter en zone à risque, ne l'a jamais été, comme j'ai dit.

— *Je ne me lève pas le matin en disant : je veux aller là où ça pète.*

Le meilleur reportage vaut-il la mort d'un journaliste ? Le meilleur reportage vaut-il une jambe, un bras, une vie en moins ? La réponse de Patrice Roy :

— *Non du point de vue individuel, mais oui du point de vue collectif. Bien sûr que du point de vue individuel, on n'aurait pas dû, Charles et moi, aller là-bas. Les reportages que nous avons faits ne justifient pas la jambe que Charles a perdue. Mais collectivement, si on ne couvre plus les guerres, c'est un drame, une tragédie.*

Quand j'ai voulu avoir la version de Charles Dubois, quelques jours après avoir rencontré Patrice Roy, je me suis fait répondre : «Malheureusement, en ce moment, je passe à travers une période difficile, des suites de mon accident.»

Je suis revenue à la charge, en vain. Puis j'ai abdiqué, le respect s'imposait.

Quelques mois plus tard, à la télé, j'ai vu Charles Dubois, lors d'une émission consacrée au deuil. Il disait qu'il avait perdu toute confiance en lui, à la suite de l'accident qui lui avait coûté une jambe. Il disait qu'il avait honte. Qu'il avait le sentiment d'être un fardeau pour les siens. Il a parlé de sa dépression, à son retour d'Afghanistan. Et il a évoqué les familles de soldats, laissées dans le silence.

Reporter de guerre, soldat, même combat? Femme de reporter de guerre, femme de soldat, même tourment?

Patrice Roy, lui, retient ceci:

— *Avant que ce qui m'est arrivé à moi arrive à quelqu'un d'autre, il y a toutes les chances que tu gagnes à la loterie!*

C'est ce que la reporter française Sara Daniel appelle dans son livre *Voyage au pays d'Al-Qaïda* «le syndrome de l'ordalie». C'est-à-dire «un besoin de se prouver, en mettant sa vie en danger, qu'elle vaut la peine d'être vécue – à tout le moins, une confirmation d'avoir été choisie par la chance».

Chapitre 5

Entre deux guerres, entre deux feux

Terrasse du café Le Rostand, Paris. Dans le soleil cuisant de cet après-midi d'été, face aux jardins du Luxembourg où lambinent des gens tranquilles, insouciants, dont notre fille, Camille, vingt ans, je guette l'arrivée de Sara Daniel.

Sara Daniel : fille du journaliste Jean Daniel, fondateur du *Nouvel Observateur*. Elle-même journaliste, pour le même hebdo. Devenue reporter de guerre le 11 septembre 2001.

Elle avait trente-cinq ans, à l'époque. Elle était mariée, elle avait une fille de deux ans. Notre fille à nous avait treize ans, elle croyait que la Troisième Guerre mondiale venait de commencer. Maintenant, elle étudie en journalisme.

Sara Daniel arrive du Pakistan, elle y retournera à l'automne. Elle a couvert le conflit du Darfour, la deuxième guerre du Liban, a fait plusieurs séjours en Irak, en Afghanistan.

Je viens de quitter Florence Aubenas, quelques heures auparavant. Je ne peux m'empêcher de penser à ce qu'elle m'a dit, lors de notre première rencontre dans ce bistro bruyant près de son bureau, sur le fait qu'elle a toujours su qu'elle mettrait en avant son désir de partir en reportage, que c'est pour ça qu'elle n'a jamais eu de mari, d'enfants.

J'entends encore Florence Aubenas discourir à toute vapeur, tout en engouffrant sa salade, comme si ça ne la concernait pas directement, sur les dangers encourus, les risques pris, nécessairement, quand on est reporter dans un pays en guerre : « Ça fait partie du métier, voilà tout. »

Je revois ses doigts blanchis, comme vidés de leur sang, le matin même, dans son petit bureau vitré. Ses doigts crispés sur de petits trombones.

Je revois la flamme rouge-violet danser dans ses yeux bleu ciel, quand elle m'annonce qu'elle s'apprête à partir pour l'Afghanistan, enfin. Son premier voyage dans un pays en guerre depuis sa prise d'otage en Irak.

Ce voyage l'amènera à couvrir, entre autres événements sanglants, un attentat taliban dans la vallée d'Uzbin contre des militaires de son pays fraîchement débarqués au milieu des hostilités pour soutenir les alliés. Bilan : dix soldats français tués, trente-sept autres blessés.

« L'attaque au sol la plus meurtrière contre les forces de la coalition depuis leur entrée en Afghanistan, après le 11 septembre 2001 », notera Florence Aubenas dans les pages du *Nouvel Observateur*.

Quelques mois plus tard, au Pakistan, par un étrange et troublant hasard, c'est Sara Daniel qui retrouvera et interviewera les talibans responsables de l'attaque de la vallée d'Uzbin.

Dans le *Nouvel Obs*, elle écrit : « Ils habitent de confortables maisons avec leurs femmes et leurs enfants dans le centre embouteillé d'une grande ville proche de la capitale, Islamabad, entre un supermarché et le *fast-food* d'une célèbre chaîne américaine. C'est là que nous les avons trouvés alors que nous ne les cherchions pas, en remontant la piste d'effets très personnels ayant appartenu aux soldats français et que l'on nous a proposé d'acquérir, sans la moindre gêne, dans cette région où tout se marchande. »

Mais nous n'en sommes pas là, pas encore. Je viens de quitter Florence Aubenas, je guette l'arrivée de Sara Daniel dans le soleil cuisant de cet après-midi d'été. Et je pense à toi.

Cette image, toujours la même : tes yeux comme fous, sur le balcon, la veille de ton départ pour l'Afghanistan. Ton premier départ pour un pays en guerre. Celui qui allait tout changer.

Celui qui a amené notre fille à écrire, récemment, dans le cadre d'un travail de réflexion sur le métier de journaliste : « Au lendemain du 11 septembre 2001, quand mon père est parti en Afghanistan, j'ai compris qu'il pouvait laisser sa vie au profit de son métier. J'étais très inquiète lorsque je lui parlais au téléphone (ce qui n'était pas trop fréquent) : je lui demandais toujours s'il se trouvait dans un endroit dangereux, et je sais très bien qu'il me mentait quand il me répondait que tout allait bien, qu'il était en sécurité là où il se trouvait. »

Tu vois, elle n'était pas dupe, elle non plus, à l'époque. Qu'est-ce que tu croyais ?

Ce qui me frappe, c'est que nous n'en parlions jamais, toutes les deux, elle et moi. Je n'en parlais pas non plus avec son grand frère. Il jouait le jeu, lui aussi. Nous jouions tous le jeu du mensonge, ton jeu, destiné à nous épargner. Pour moi, ça allait de soi : j'étais leur mère, je devais, tout comme toi, les rassurer. Mais elle, mais lui ?

Dans son travail universitaire, jonglant avec l'idée de devenir journaliste, un jour… peut-être, Camille, bonne joueuse, a aussi noté : « Si mon père n'avait pas été journaliste, je n'aurais probablement pas su, à treize ans, que Kaboul et Kandahar étaient des villes d'Afghanistan. »

Comment est-ce que je réagirais ? Comment réagirais-tu, toi, si notre fille nous annonçait un jour… peut-être, les yeux comme fous, qu'elle part dans un pays en guerre ?

Nous n'en sommes pas là. Pas encore. Ça n'arrivera peut-être jamais. Tout va bien. Camille, vingt ans, arpente les jardins du Luxembourg, dans ce pays, tout comme le nôtre, «si monstrueusement en paix», selon l'expression de Wajdi Mouawad, qu'elle admire tant.

Là où je suis, en face, sur la terrasse du Rostand, une longue tignasse châtain clair attire mon regard. Blouson bleu pastel, lunettes noires, sourire zen : c'est elle, c'est Sara Daniel.

Quand, le 11 septembre 2001, les tours jumelles se sont écroulées à New York, elle se trouvait dans un camp palestinien, à Amman, en Jordanie. Elle n'en croyait pas ses yeux, ses oreilles : autour d'elle, une foule déchaînée sautait de joie, criait victoire.

Même son interprète, qu'elle décrit dans son livre *Voyage au pays d'Al-Qaïda* comme «une jeune femme moulée dans une tenue léopard assez peu islamique», et qui, précise-t-elle, depuis le début de leur collaboration, lui faisait «le panégyrique de Ben Laden», même elle s'extasiait : son héros venait de démontrer, une fois pour toutes, sa suprématie.

Les Jordaniens, qui jusque-là répondaient aux questions de la journaliste sans aucune méfiance, pour ne pas dire «avec bienveillance», comme elle le notera dans le même ouvrage en 2006, la considéraient soudain comme une ennemie.

Ce jour-là, Sara Daniel a ressenti dans ses tripes la fracture qui s'est produite.

— *J'ai toujours été entre deux mondes, qui le 11 septembre 2001 sont devenus ennemis.*

C'est ce qu'elle dit, aujourd'hui.

Née en France, juive sépharade par son père d'origine algérienne, elle a vécu dans plusieurs pays arabes, dont elle baragouine la langue. Elle a eu une enfance qu'elle qualifie d'«itinérante», au gré des affectations de ses parents – non seulement son père était journaliste, mais sa mère était photographe de presse.

Sara Daniel a toujours eu des amis juifs, des amis arabes, musulmans, sans distinction. Elle a aussi des liens aux États-

Unis, où elle a passé trois ans comme journaliste pour les médias français, après un stage au *Washington Post*.

Outre le procès de l'ex-footballeur O.J. Simpson et l'affaire Clinton-Lewinsky, elle a suivi de près, en 1995, les suites de l'attentat terroriste perpétré par Timothy McVeigh, vétéran de la guerre du Golfe et sympathisant néo-nazi, contre un bâtiment gouvernemental à Oklahoma City. Cent soixante-huit personnes tuées, des centaines d'autres blessées.

Je me souviens très bien, j'ai annoncé la nouvelle, à la radio. C'était la consternation générale dans la salle.

C'était l'attentat le plus meurtrier aux États-Unis, avant que survienne la tragédie du World Trade Center.

Le 11 septembre 2001, Sara Daniel prend une décision : elle va tenter de comprendre, d'expliquer ce qui vient de se passer. Peu de temps après, elle s'envole pour l'Afghanistan.

À Paris, il y a sa fillette d'à peine deux ans, Hanna, qu'elle chérit. Et son mari juriste, Yan, qu'elle aime. Mais elle se dit qu'elle n'a pas le choix, que si cette guerre n'est pas leur guerre à eux, Français, elle est « notre affaire à tous ».

Elle sait bien que c'est dangereux. Elle sait qu'elle risque gros. Son propre père, lorsqu'elle était enfant, avait reçu une balle dans la cuisse, alors qu'il couvrait un conflit : la crise de Bizerte, en Tunisie.

« Il en a gardé une jambe plus courte que l'autre et la nécessité de se ménager physiquement », fait-elle remarquer dans *Voyage au pays d'Al-Qaïda*. « Très tôt j'ai donc su que l'on risquait sa vie en reportage et que les blessures n'étaient romanesques qu'au cinéma », continue-t-elle.

Mais au moment de partir en Afghanistan, elle ne veut pas songer à cela. Qu'elle pourrait être blessée, ou même tuée… qu'elle pourrait priver la petite Hanna de sa maman.

— Je n'y ai pas pensé sur le coup, sinon, je crois que je ne serais pas partie : j'étais incapable d'envisager les conséquences, sur ma fille, de ma disparition.

Pour ce qui est de son mari, qu'elle décrit comme « un papa poule » :

— Il me soutenait. Yan m'a toujours soutenue, ne m'a jamais condamnée. Mais tous les gens ont fini par le condamner, lui, parce qu'il ne me condamnait pas. Du genre : il ne l'aime pas vraiment pour la laisser partir dans des endroits si dangereux... Alors que ça n'a rien à voir !

Ça me taraude, ça m'intrigue, encore une fois. Je me demande comment tu aurais réagi, toi, si j'étais devenue reporter de guerre au lendemain du 11 septembre 2001. Imagine un instant : je pars pour l'Afghanistan, sac à dos, gilet pare-balles et tout, et toi, tu restes avec les enfants au bord du fleuve devant le grand héron.

De plus en plus de femmes journalistes couvrent les guerres. Et pas seulement des célibataires sans enfants.

— Pour moi, contrairement à Florence Aubenas, il n'était pas question de choisir entre la maternité et mon métier. Et c'était très important, même si je suis mère, d'aller au bout de mon métier.

Pour le reste, elle est d'accord avec Florence Aubenas : pas ou peu de différences entre un homme et une femme reporter sur le terrain.

— C'est le genre de travail qui ne laisse pas beaucoup de place aux sentiments, à l'introspection. On prend beaucoup sur soi, on gomme nécessairement des aspects de sa personnalité, de sa féminité.

À tel point que l'un des traducteurs de Sara Daniel lui disait qu'elle était vraiment «comme un homme», pour lui.

— C'est normal : on est le chef d'équipe, on prend les décisions, on donne des ordres, de l'argent... tout cela ne correspond pas tellement au modèle féminin traditionnel.

Vous êtes partis à peu près en même temps, Sara Daniel et toi, pour l'Afghanistan. Si ça se trouve, vous vous êtes peut-être croisés sans le savoir sur le terrain.

Tu te souviens, quand la journaliste française Véronique Rebeyrotte, qui accompagnait les troupes de l'Alliance du Nord fidèle au commandant Massoud, a survécu à un attentat taliban le 11 novembre 2001 ?

Tu venais à peine de rentrer d'Afghanistan. Tu t'es figé sur place en entendant à la radio le nom de cette reporter que tu connaissais bien. J'ai pensé, le souffle coupé : et si tu étais resté là-bas plus longtemps ?

Trois autres journalistes sont morts dans l'embuscade ce jour-là, un Allemand et deux Français. Parmi eux, deux amis de Sara Daniel : Johanne Sutton, trente-quatre ans, grande reporter de Radio France Internationale, et Pierre Billaud, trente et un ans, de la radio française RTL.

Sara Daniel avait entrepris son voyage en Afghanistan avec eux, depuis la frontière tadjike, un mois auparavant. Elle les avait quittés le matin même, sur la ligne de front, pensant les retrouver plus tard. Elle était allée écrire un papier, et puis, voilà, c'était fini, ils n'étaient plus là.

Le lendemain, les corps de ses amis sont partis en hélicoptère pour la France. Elle est restée en Afghanistan.

Le meilleur reportage vaut-il la mort d'un journaliste ? Bien sûr que cette question la hantait.

— *Je croyais à la notion de mort utile. C'est une fausse notion, en fait, mais on a ce fantasme dans la tête : on s'imagine que notre mort va servir à quelque chose.*

Le 19 novembre 2001, six jours après l'entrée de l'Alliance du Nord dans la capitale, quatre journalistes occidentaux sont dévalisés et tués sur une route connue pour abriter de nombreux bandits, entre Jalalabad et Kaboul.

Cette route, tu l'as toi-même empruntée quelques semaines auparavant, m'apprendras-tu ce jour-là. Le cœur me manquera, encore une fois. Stupeur devant l'ampleur réelle des risques que tu as pris : c'est encore pire que ce que j'avais imaginé.

Sara Daniel, elle, est toujours sur place, à ce moment-là.

« Les habitants sont à l'affût des mauvaises nouvelles. La mort des quatre journalistes dévalisés sur la route de Jalalabad aurait donné des idées à des factions incontrôlées dans la capitale », écrira-t-elle quelques jours plus tard dans *Le Nouvel Observateur*.

Après l'Afghanistan, l'Irak. Où Sara Daniel va foncer tête baissée dès le déclenchement des hostilités. Pendant trois ans, elle ne fera que ça : couvrir la guerre en Irak.

— Pendant trois ans, je n'ai vécu que pour ça : je me suis donnée tout entière pour cette guerre.

Parmi ses « faits d'armes », si l'on peut dire : l'affaire DHL. Tu te rappelles ?

Novembre 2003. Un avion postal, appartenant à la messagerie américaine DHL, essuie des tirs de missile dans le ciel de Bagdad. C'est le premier attentat contre un avion civil depuis le début de la guerre en Irak.

Les images de l'attaque, captées par ceux-là mêmes qui ont orchestré le coup, vont vite faire le tour du monde, relayées par CNN. On y voit des combattants irakiens pointer un lance-missiles sol-air sur l'appareil civil américain.

Peu de temps auparavant, Sara Daniel a rencontré les belligérants et assisté à leur entraînement, dans leur cache d'armes, au milieu d'un terrain vague. Pendant une semaine, elle ne les a pas lâchés d'une semelle.

Le fait d'être une femme, étrangement, a joué en sa faveur.

— Ils se méfiaient moins parce que j'étais une femme, jouaient du fait qu'ils pouvaient m'impressionner. Moi-même, j'en jouais : je grimais la peur. Du coup, ils m'en disaient, m'en montraient plus !

La cassette vidéo de l'attentat lui est parvenue à son hôtel de Bagdad. Pourquoi elle ? Les médias vont s'arracher la reporter française pour obtenir des explications à propos du « curieux cadeau » qu'elle a reçu. Les médias des États-Unis, surtout. Après tout, c'est leur guerre à eux, qui se joue là.

Quatre mois plus tard, Sara Daniel est toujours en Irak quand les corps calcinés de quatre agents de sécurité américains sont profanés sous les acclamations d'une foule haineuse, à Fallouja. Les quatre employés de la société Blackwater ont été attaqués dans leurs 4 × 4 par des rebelles irakiens, ils ont été traînés dans une rue, battus, mutilés et pendus sur un pont.

Avec son photographe, Sara Daniel est la première journaliste occidentale à constater le massacre. « J'ai vu ces trucs horribles, ces corps », témoignera-t-elle ensuite, s'interrogeant sur le sens de tout cela, sur ce qu'elle était allée faire là, au juste : « Si ça ne sert à rien, c'est quoi ? Du tourisme de l'horreur ? »

Elle a aussi réussi à interviewer Omar Hadid. Le bras droit d'Al-Zarqaoui, chef d'Al-Qaïda en Irak, ennemi numéro un des Américains là-bas, abattu par eux lors d'un bombardement en 2006.

Omar Hadid : l'un des auteurs des premières décapitations d'otages occidentaux en Irak, à commencer par celle de l'homme d'affaires américain Nicholas Berg, le 7 mai 2004.

Sara Daniel avait préparé cette rencontre pendant des mois, s'était retrouvée, de fil en aiguille, d'une personne à l'autre, dans une mosquée contrôlée par Al-Qaïda, devant le bourreau de Berg. « Suis-je en train de vivre mon dernier instant ? » s'était-elle demandé.

« Il n'y avait plus moyen de reculer. L'entrevue a été très intense. J'en suis sortie dégoûtée », confiera-t-elle à un journaliste quelques années plus tard.

Ce qu'elle a vu de pire, en Irak ?

— *Les corps morts. Ou plutôt : les gens qui agonisent, qui meurent sous vos yeux. Non, le pire, c'est l'odeur du sang.*

Elle se ravise encore.

— *Le pire, c'est quand même les enfants à l'hôpital. Comme mère, c'est affreux de voir des corps d'enfants détruits.*

Elle ne sait plus, au juste, ce qui était le pire.

— *Tout était pire, en Irak.*

Au téléphone, quand elle appelait à Paris, qu'est-ce que tu crois ? Elle faisait comme toi, comme Florence Aubenas.

— *Je passais mon temps à mentir. À ma mère et à mes amis, surtout. Ensuite, quand ils lisaient mes papiers, ils s'apercevaient bien que je mentais… J'ai plein de souvenirs où j'étais dans des trucs dangereux, avec des scènes horribles devant les yeux : mon téléphone sonnait, et je racontais des banalités.*

À son mari, elle en disait plus, par contre. C'est même lui qui l'arrêtait, parfois.

— *Quand je suis allée à Fallouja, en mars 2004, je lui racontais que j'avais une jambe au-dessus de moi, découpée en morceaux, et qu'il y avait des corps déchiquetés… Il m'a dit : « C'est gentil, mais tu arrêtes, là, je ne veux pas le savoir. »*

Elle dit que souvent, au téléphone, elle parlait juste pour entendre le son de sa propre voix.

— *J'aurais mieux fait de chanter une chanson, parce que ça ne sert à rien : on est dans des mondes tellement différents, c'est ridicule de vouloir communiquer.*

La prochaine fois, au téléphone, fredonne-moi *Au clair de la lune*, quand tu seras dans un pays en guerre.

Moi, je te chanterai *La marche à l'amour*, de Gaston Miron : « Je marche à toi, je titube à toi, je meurs de toi… » La marche à l'amour, pour contrer ta marche vers la mort.

Je retiens aussi que Sara Daniel se sentait totalement décalée, déphasée, quand elle rentrait à Paris.

— *Chaque fois, je tombais malade. Je passais une semaine au lit. Yan savait que, les premiers jours, ça ne valait pas la peine de me parler : il fallait attendre que ça passe.*

Si par malheur elle finissait par accepter une invitation à dîner quelque part, elle en ressortait frustrée à l'extrême.

— *Les gens me demandaient de raconter ce que j'avais vu sur le terrain, mais ils avaient juste envie d'un petit détail bizarre, pour pouvoir passer à autre chose. Je devenais une sorte de divertissement. Ils ne m'écoutaient pas, ne voulaient pas vraiment savoir… surtout si ça ne rentrait pas dans le cadre de ce qu'ils souhaitaient démontrer !*

Je repense à ce souper, au retour d'un de tes voyages en Afghanistan. Il y avait à tes côtés un homme politique québécois. Il t'a posé une question à propos de l'avancée des talibans, puis, sans écouter ta réponse, il a commencé à discourir sur l'horreur de la guerre. Tu bouillais intérieurement.

Tu en voulais à tout le monde, autour de la table. Ça riait, s'empiffrait, buvait du champagne. Le dossier Afghanistan avait été réglé en deux temps trois mouvements, on pouvait passer à autre chose.

Pendant trois ans, Sara Daniel a fait des séjours de quatre à six semaines en Irak, ponctués de périodes de repos à Paris. Mais dans sa tête, elle était encore et toujours là-bas.

— Tout le monde se moquait de moi : j'étais au téléphone en permanence avec l'Irak, avec mes informateurs sur le terrain. Je n'étais pas à Paris. Je regardais les gens devant moi, mais je ne les voyais pas.

Elle ne pensait qu'à une chose : y retourner, évidemment.

— C'est comme une drogue. On veut être là où ça se passe. C'est aussi une façon d'échapper à la réalité, loin du quotidien. Mais c'est une illusion de liberté : échapper à la réalité jusqu'à risquer de mourir !

Même au moment où Florence Aubenas était prise en otage, alors que tout le monde était sur les dents, que le gouvernement français mettait les médias en garde, faisait des pressions pour qu'on n'envoie plus de journalistes en Irak, Sara Daniel est retournée sur le terrain. Son chef de service au journal hésitait. Même son mari, cette fois-là, a tiqué. Tant pis.

— Je trouvais que c'était un moment intéressant. C'était au tout début de la guerre civile. J'ai réussi à me faire incorporer dans une unité de combattants américains : j'étais en avant-poste, dans le désert, embedded, *vingt-quatre heures sur vingt-quatre, avec des gens destinés à se battre. Ça a été un voyage très « payant ».*

Et comme elle était *embedded*, intégrée avec l'armée, justement, elle n'avait pas peur d'être prise en otage comme Florence Aubenas… dont elle apprendrait d'ailleurs la libération en Irak même, quelques jours après son arrivée.

— Je me disais : la pire chose qui peut m'arriver, c'est qu'on me tue. Mais on pense toujours que ça ne nous arrivera pas.

Ce qui revient à dire qu'elle croit, elle aussi, à la chance et au destin, à la façon du Polonais Ryszard Kapuscinski. Elle n'a jamais brandi une banderole proclamant son immortalité à la façon crâneuse d'un Paul Marchand, mais c'est tout comme.

— Si on pense que la mort peut frapper alors qu'on se rend en reportage en Irak ou dans quelque autre pays en guerre, alors on doit considérer qu'on peut se faire écraser par une voiture n'importe où, ici même à Paris.

Même salade que Roger Auque. Que la tienne. Vous dites tous la même chose. Je ne suis pas d'accord. Pas du tout. Ça n'a rien à voir. Bien sûr que tu peux mourir en traversant la rue, n'importe où. Moi aussi. Comme tout le monde.

Bien sûr que tous les couples songent à ça, un jour : l'autre peut mourir, disparaître à tout moment, dans un accident de la route. Ou autrement. On a tous peur de la mort, à un moment ou l'autre. De la sienne, de celle de l'autre. Et de celle de nos enfants.

Mais il ne s'agit pas de ça. Il s'agit d'un choix.

Le choix que tu as fait, toi, comme Sara Daniel, comme Roger Auque, Florence Aubenas et tous les autres, d'aller dans ces pays en guerre, où ça tire, où ça tue, où ça pète. Le choix délibéré de mettre sa vie en danger. Tout en s'accrochant à l'idée que ça n'arrivera pas, que vous ne mourrez pas.

Jusqu'à ce que ça se produise… Parles-en à la femme du journaliste Daniel Pearl pris en otage au Pakistan, le 23 janvier 2002, et exécuté sauvagement par ses ravisseurs. Parles-en à toutes les femmes de soldats qui ont perdu leur mari sur un champ de bataille.

Là-dessus, Florence Aubenas est sans doute la plus terre à terre. Quand elle dit que, pour elle, les risques d'être enlevée ou tuée font intégralement partie du métier de reporter de guerre.

Sara Daniel n'a jamais été prise en otage, n'a jamais été grièvement blessée. Mais combien de fois a-t-elle risqué sa vie comme reporter de guerre ? Combien de fois a-t-elle failli y passer ? Elle a cessé de compter.

— *On a beau se dire : je ne suis pas une tête brûlée, je ne prends pas tous les risques… il y a l'adrénaline qui nous pousse. On fait des bêtises, tout plein, on fait n'importe quoi, parfois.*

Tu vois, elle en convient.

— *Il n'y a pas de manière d'être sûre. C'est souvent dans les moments les plus inattendus que le danger survient. Et quand on est dans le feu de l'action, on ne va pas s'arrêter…*

Plus moyen de reculer, un moment donné. Patrice Roy l'a appris à ses dépens. Son caméraman, surtout.

— *Parfois, c'est fou, on est complètement inconscients du danger.*

Au tout début du conflit en Irak, en mars 2003, Sara Daniel s'est retrouvée sur la ligne de front. Au Kurdistan.

— *Nous étions une vingtaine de journalistes. Avant de partir, certains avaient fait préparer leur jeep en cas d'attaque bactériologique, chimique. Je me suis dit : s'il y a une attaque, je vais peut-être rentrer chez moi, quoi !*

Elle en rit aujourd'hui.

— *J'étais la petite nouvelle. Je me souviens, j'avais du vernis à ongles. Et les types, ces types du genre baroudeurs de guerre, qui avaient tout prévu, y compris de quoi décontaminer leur combinaison avec de l'eau de Javel, se moquaient de moi.*

Elle est partie avec eux, vers la ligne de front.

— *Ils riaient, ils parlaient... Il y a ce truc qui se produit : avant que ce soit la guerre, qu'il y ait des gens qui meurent, c'est souvent la plaisanterie, la fête. J'avais l'impression d'être dans un pique-nique.*

Soudain : coup de mortier. Suivi d'un autre. Puis d'un autre encore.

— *Je me suis retrouvée toute seule sur la route avec tous les mortiers qui commençaient à me tomber dessus. Je me suis dit : il faut que je me pousse d'ici. J'ai vu une espèce de tube, une sorte de bouche d'égout pour évacuer les eaux, je m'y suis engouffrée.*

Un journaliste du *New York Times* partageait son abri. Leurs sacs, laissés en plan, ont bientôt été couverts de débris. Les bombardements n'arrêtaient pas de tonner.

— *J'ai vraiment pensé que c'était fini, que j'allais mourir. En plus, pour un truc débile. Pour une petite ville du nord du Kurdistan qui n'intéressait personne. On ne savait même pas comment prononcer son nom. Les gens sur place nous avaient dit : « Pourquoi vous êtes venus si loin pour mourir ? » J'ai eu le temps de penser à ça, dans mon tube. Je me suis dit : je n'ai pas envie de mourir. Et je me suis posé la question : pourquoi je suis là ?*

Elle a fait des cauchemars horribles, par la suite.

— *Je sortais de mon lit, je me retrouvais enroulée par terre, comme si je venais d'entendre une explosion.*

Même une fois rentrée à Paris, ses cauchemars l'ont poursuivie. Elle rêvait qu'on venait l'assassiner. Le jour, au moindre bruit, elle sursautait soudainement : toutes sortes d'images horribles remontaient alors à la surface.

Après l'Irak, il y a eu le Liban. À l'été 2006. En même temps que Roger Auque.

— *Là encore, c'était vraiment dangereux, et j'ai eu très peur.*

Un jour, dans le sud du pays, elle s'est rendue avec son photographe et une traductrice libanaise dans un petit village d'où les Israéliens venaient de se retirer. Mais s'étaient-ils vraiment retirés ? Ils étaient toujours à la périphérie du village...

Sara Daniel et ses collègues sont arrivés en voiture.

— *La configuration était assez cinématographique : le village était tout en hauteur, situé au sommet d'un petit tronçon de route. Il y a eu un moment où on était complètement à découvert, sans savoir ce qui pouvait nous tomber dessus. Il y avait un tel silence dans la voiture : nous étions tous morts de peur.*

L'ONU n'était pas encore arrivée sur les lieux, il n'y avait aucun militaire du côté libanais, aucun journaliste présent quand ils sont entrés dans le village. Il n'y avait personne, sauf des gens âgés qui n'avaient pas pu fuir.

Sara Daniel, son photographe et son interprète sont entrés dans une maison, où ils sont tombés sur un homme âgé, malade, en chaise roulante.

— *Nous avons eu un moment détendu avec lui, on a discuté, le photographe a pris plusieurs photos.*

Puis, le photographe a regardé par terre : il y avait une mine.

— *Le genre de mine qui s'actionne quand on met le pied dessus. Ensuite, on lâche le pied, et* hop, *tout explose.*

Ils ont vite compris. Qu'ils auraient pu y passer, tous. Qu'il y avait probablement d'autres mines comme celle-là autour. Que des soldats avaient piégé le vieil homme.

Ils ont tenté de le convaincre de monter en voiture avec eux. Mais il ne voulait rien entendre. Il ne voulait pas laisser sa maison.

— *C'est un moment que j'ai trouvé affreux. Il y avait ce monsieur grabataire, vieux, seul, et cette mine, là, par terre… J'ai éclaté en sanglots.*

Typiquement féminin comme réaction ?

— *Je ne dirais pas ça. Mon photographe, lui, le même qui m'accompagne toujours en reportage, Stanley Greene, un Américain dans la fin cinquantaine qui est devenu mon ami, trouvait intolérable de voir des enfants se baigner dans les égouts contaminés au plutonium, courant toutes les chances de développer des cancers. Ça le rendait fou. L'émotion, elle vient d'on ne sait où : c'est différent pour chacun.*

Plusieurs fois, en Irak ou ailleurs, Sara Daniel a outrepassé son rôle de reporter pour venir en aide à des personnes en danger, dans le besoin. Il lui est arrivé, par exemple, en Afghanistan, de transporter des malades à l'hôpital. Dont un petit garçon qui avait sauté sur une mine et une autre enfant, grièvement blessée.

Elle a, à l'occasion, donné des nouvelles aux familles de victimes et offert de la nourriture. Elle a aidé des gens, dans des moments d'urgence, en Irak, à rassembler de la nourriture. En outre, elle a collaboré à des collectes de denrées, pour les envoyer dans la ville de Fallouja assiégée.

Tout cela allait de soi, pour elle. Mais il y a une limite qu'elle n'a jamais franchie, assure-t-elle.

— *Je n'ai jamais aidé des combattants.*

Rien à voir avec Paul Marchand dans les années 1990 en Bosnie : non seulement il traversait régulièrement la ligne de front pour passer du côté serbe et chercher du ravitaillement pour les habitants de Sarajevo, pour ses collègues journalistes et lui-même, mais il n'hésitait pas à faire du trafic d'essence avec les milices armées, et même à transporter des détonateurs, selon ce qu'il a lui-même confié un jour en entrevue.

Une entrevue qu'il t'accordait à toi, après la parution de son livre *Sympathie pour le diable*, sur la guerre en Bosnie. «Il était devenu plus acteur que témoin», conviendra son ami Roger Auque, après sa mort.

Non, Sara Daniel n'a jamais joué dans ces eaux-là. Mais elle ne peut faire autrement que confirmer, tout comme Florence Aubenas, que la sacro-sainte neutralité journalistique est élastique dans certains cas.

— *Il y a des moments où l'on finit par accomplir des actes complètement aberrants, simplement pour ne pas rester inactifs. Je me souviens d'une chose horrible…*

Elle était avec l'armée américaine en Irak et s'apprêtait à passer plusieurs jours dans le désert. Elle s'est retrouvée devant un charnier.

— *Les gens étaient en train de ramasser des morceaux de corps, c'était effrayant, il y avait une odeur épouvantable… Et puis, j'ai commencé à mettre moi aussi des trucs dans des sacs en plastique. C'était un moment très pénible : je me suis vue tout à coup avec des bouts de chair dans les mains. J'ai fait ce genre de choses une fois. Par sentiment d'impuissance, je crois.*

Au début, quand elle allait en Afghanistan, puis en Irak, Sara Daniel pensait qu'elle pouvait changer les choses, comme reporter.

— *J'y crois de moins en moins. George Bush a quand même été réélu en 2004. Je suis allée aux États-Unis à ce moment-là. Je me disais : mais combien de temps il faut attendre, après tout ce qu'on a rapporté dans les médias, pour que les gens se réveillent ? On ne peut pas accélérer les choses, voilà. Il faut accepter le fait que nous, journalistes, nous contribuons de façon très modeste à créer ce qu'on appelle l'opinion publique, et à faire avancer les choses.*

Elle pense toujours qu'il est important de faire son métier, d'aller sur le terrain, de témoigner. Mais la guerre en Irak l'a changée.

— *Je ne crois pas que je pourrais refaire l'Irak, me donner comme ça, pendant trois ans, ne faire que ça.*

Elle part toujours en reportage, mais essaie de limiter ses déplacements à une quinzaine de jours.

— *C'est plus difficile pour ma fille, maintenant qu'elle est plus grande, de me voir partir pour des zones dangereuses. Je passe davantage de temps avec elle. Et quand je suis là, je suis vraiment une mère très présente.*

Mais attention. Une droguée est une droguée.

— *Si ça revient, si une autre guerre éclate quelque part, je ne peux pas garantir que je ne vais pas m'engager plus à fond, repartir plus longtemps.*

Même réaction que Roger Auque. Sauf que lui, finalement, il est devenu diplomate. Il a quitté son poste de conseiller dans le IXe arrondissement de Paris un peu plus d'un an après notre rencontre, s'est envolé, en novembre 2009, pour l'Érythrée. Grâce à son ami le président Sarkozy, qui l'a nommé ambassadeur de France dans ce pays voisin du Soudan.

Florence Aubenas, elle, a été nommée, en juillet 2009, à la tête de l'Observatoire international des prisons. Un organisme indépendant des pouvoirs publics qui s'est donné pour mission de promouvoir le respect des droits et des libertés individuelles des personnes incarcérées, et de dénoncer la torture, les traitements inhumains ou dégradants en prison.

« Savoir et faire savoir restent des combats cruciaux dans le monde des prisons » : c'est ce qu'affirme maintenant Florence Aubenas, ce qui la fait courir, désormais. Jusqu'à quand ?

Aux dernières nouvelles, Sara Daniel, elle, est toujours reporter. Elle est allée en Iran à l'été 2009, dans la foulée de l'élection présidentielle qui a donné lieu à un mécontentement populaire réprimé dans la violence. Elle a d'ailleurs fini par être expulsée du pays, comme la plupart des journalistes occidentaux.

Elle est aussi retournée en Afghanistan, s'est retrouvée à Kaboul, face à un jeune Afghan de vingt-deux ans jugé indésirable par les autorités françaises : il venait d'être expulsé de France par charter.

Le 28 octobre 2009, dans *Le Nouvel Observateur*, elle raconte : « Dans son hôtel de Kaboul, transis par la pluie glacée qui s'infiltre partout, nous sursautons à chaque coup de tonnerre qui résonne comme le bruit des roquettes qui se sont abattues ce matin sur l'hôtel Serena. »

Mais nous n'en sommes pas là. Pas encore.

Dans le soleil couchant de cette journée d'été 2008, sur la terrasse du Rostand, Sara Daniel me parle de sa fille de huit ans, qu'elle s'apprête à aller rejoindre à la maison.

Je lui demande comment elle réagirait si un jour, peut-être… Hanna lui annonçait qu'elle voulait devenir reporter de guerre à son tour.

— *Ah non, pas question !*

Elle fixe un point à l'horizon. S'étonne elle-même de sa réaction. Puis, se ressaisit.

— *Il y a peu de risques que cela se produise, de toute façon. Nous n'avons pas la même histoire. Et puis, elle est très prudente, je ne la vois pas du tout faire ça. Moi, j'aime bien la bagarre… bizarrement.*

J'aperçois Camille qui sort des jardins du Luxembourg.

Elle s'apprête à traverser la rue, au milieu de la circulation.

Chapitre 6

Le cadenas intérieur

— *Chaque fois qu'il se passe quelque chose d'important quelque part, tu y vas, tu es là. Tu découvres et tu fais découvrir l'événement qui est en train de se passer. C'est très excitant, très valorisant.*

Elle dit «tu», mais c'est elle que ça concerne, en réalité. Que ça concernait, plutôt. Elle parle au présent, mais tout ça, c'est du passé, désormais, pour Céline Galipeau.

Quand je la rencontre, elle tient depuis peu la barre du téléjournal de fin de soirée à Radio-Canada, en semaine. Elle est devenue, à cinquante et un ans, la première femme à occuper le poste de chef d'antenne à la télévision publique canadienne. Après avoir animé pendant plus de cinq ans les bulletins d'information le week-end.

Mais d'abord et avant tout, elle a été, durant quatorze années, correspondante à l'étranger.

— Quand tu vis à l'étranger, tu es toujours dans un monde à part. Tu ne fais pas tout à fait partie des gens que tu côtoies, tu es un peu entre deux mondes. Et moi, ça me convenait. Peut-être parce que j'avais de la difficulté à prendre racine…

Au fil de ces quatorze années, elle a couvert plusieurs guerres, par la force des choses. Tout en étant épouse et mère.

Et puis un jour, le couvercle a sauté. Finie la vie à l'étranger, finies la guerre, l'adrénaline dans le plafond. Elle a décidé de rentrer à Montréal avec son mari et son fils devenu adolescent.

Ce jour-là, le jour où elle a pris sa décision, tu étais à ses côtés.

Vous avez le même âge, vous vous êtes connus jeunes journalistes à Montréal. Vous avez travaillé à Toronto dans les mêmes années, vous vous êtes revus à Moscou, à Paris. Puis en Irak. En 2003.

C'est là que ça s'est produit.

Bagdad venait de tomber. Tu es arrivé en auto de Jordanie, il y avait encore des bombardements sporadiques, des colonnes de fumée noire montaient dans le ciel de la ville.

Tu as débarqué à l'hôtel Palestine, où logeait Céline Galipeau, comme la plupart des journalistes étrangers. Et où deux cameramen, un Espagnol et un Ukrainien, avaient perdu la vie quelques jours auparavant, sous les tirs d'obus d'un char américain.

Plus tard, je lirais la description hallucinée de cet événement tragique dans le livre *Sans blessures apparentes*, du journaliste français Jean-Paul Mari. Qui était sur place, qui a entendu le *boum* de l'obus et a aussitôt dévalé l'escalier de secours de l'hôtel, affolé.

Il s'est retrouvé devant l'une des victimes : le caméraman ukrainien. Atteint à l'abdomen par le projectile, il gisait au milieu d'une mare de sang, « mâchoires contractées, visage de cire ».

Jean-Paul Mari lui a prodigué les premiers soins. « Le souffle lui a ouvert le ventre du pubis au sternum, écartant la peau et les muscles, découvrant les viscères, flaque blanche nacrée », raconterait-il ensuite.

Puis : « D'un geste inutile, je plonge mes mains dans son abdomen pour essayer de parer la plaie. Pas un médicament, pas une seringue, pas un pansement dans cet hôtel. »

Avec un ami photographe, Jean-Paul Mari a transporté le caméraman mourant jusqu'à la sortie de l'hôtel, tout en lui maintenant la mâchoire ouverte pour éviter qu'il avale sa langue. Mais dehors, au milieu de la cohue, aucune ambulance en vue. Aucun secours disponible au bout du fil non plus.

Taras Protsyuk, trente-cinq ans, caméraman pour l'agence de presse britannique Reuters, est parti pour l'hôpital dans un taxi, accompagné par l'ami photographe de Jean-Paul Mari. Le journaliste, lui, est remonté à sa chambre.

Une voix intérieure l'intimait de mettre ça de côté, cette émotion vive, ce choc qu'il venait de vivre, impuissant, et de s'atteler à la tâche : écrire son article, le rendre à l'heure convenue.

Alors il l'a fait. Il a concocté son reportage, dans les temps, pour *Le Nouvel Observateur*. C'est pour ça qu'il était là, après tout, en Irak. Pour témoigner. À chaud.

C'est pour ça que tu as débarqué à Bagdad, pour ça que Céline Galipeau y était. L'hôtel Palestine, éventré sur deux étages, était encore sens dessus dessous quand tu es arrivé.

Les journalistes continuaient d'affluer de partout, il n'y avait plus de chambres disponibles. Sur les conseils de ton fixeur, tu as installé tes quartiers dans une tour d'habitation vétuste à deux pas du Palestine.

Céline Galipeau a empoigné son gilet pare-balles et déménagé ses pénates dans un studio du même immeuble. Vous étiez voisins de palier.

Il n'y avait pas d'eau, pas d'électricité, il faisait trente degrés à Bagdad. Dans la journée, vous vaquiez à vos occupations chacun de votre côté. Elle pour la télé, toi pour la radio.

Le matin, vous aviez votre petit rituel, vous preniez votre café ensemble. Et le soir venu, vous partagiez vos informations, échangiez vos impressions.

Officiellement, elle était correspondante pour la télé de Radio-Canada à Pékin. Mais ça faisait plus de quatre mois qu'elle n'avait pas mis les pieds là-bas, qu'elle courait à droite et à gauche, au gré des événements à couvrir.

À Pékin, son mari journaliste, qui travaillait comme pigiste, en avait plein les bras avec la crise du SRAS. Et son fils était l'un des derniers étrangers encore à l'école, alors que la ville était quasiment fermée.

Elle ne pouvait rien faire pour eux, elle était loin, elle s'en voulait.

De son côté, le caméraman qui l'accompagnait, Charles Dubois, celui-là même qui allait perdre une jambe en Afghanistan quelques années plus tard, avait des problèmes de santé. Il était atteint d'un virus, il était livide, peinait à travailler. C'était sa première expérience dans un pays en guerre.

Depuis qu'ils étaient en Irak, les scènes d'horreur auxquelles ils avaient assisté tous les deux s'étaient multipliées. Entre autres, ils s'étaient rendus dans un hôpital psychiatrique dévasté, d'où la moitié des malades s'étaient enfuis. Les patients restés sur place, hagards, n'avaient rien mangé depuis des jours.

Céline Galipeau était très éprouvée. Elle était écœurée, elle avait les nerfs à vif.

Tu ne l'avais jamais vue dans cet état, elle-même ne se reconnaissait pas. Elle en avait pourtant vu d'autres, elle avait connu pire. Bien pire. À commencer par la Tchétchénie.

Elle était correspondante pour la télé de Radio-Canada à Moscou quand les Russes étaient entrés à Grozny, à la fin de l'année 1994. Dépêchée sur place, elle avait basculé dans l'enfer.

Il y avait des raids aériens, ça tirait de partout. Il y avait des corps dans les rues, des gens mouraient sous ses yeux. Il y avait du sang partout, des cadavres calcinés dans des automobiles, des chiens qui mangeaient des cadavres.

C'était son baptême du feu. Du jour au lendemain, à l'âge de trente-sept ans, elle était devenue correspondante de guerre, malgré elle.

Au bureau de Radio-Canada à Moscou, il n'y avait même pas de gilet pare-balles : elle en avait obtenu un juste avant son départ, en provenance du bureau de Londres. Elle n'avait reçu aucune formation spécialisée pour les journalistes en zone de conflit, comme cela deviendrait la norme après septembre 2001.

— *Je n'étais pas du tout préparée à ce qui m'attendait. Je ne savais pas que lorsqu'on fait une entrevue dans ces conditions, on essaie de se mettre dos au mur, pour ne pas se faire tirer par-derrière. Je n'étais pas vraiment consciente des dangers, des risques.*

Elle l'échapperait belle plusieurs fois durant ce conflit qu'elle allait couvrir régulièrement, entre deux allers-retours à Moscou. À force, elle allait apprendre ce qu'est la peur, «au sifflement des bombes et des obus», confierait-elle ensuite.

Mais la misère humaine, le drame des civils dans la guerre s'imprimaient dans sa mémoire. Parmi les images insoutenables qu'elle allait garder, qui la font frissonner encore aujourd'hui, il y a celle d'une ferme bombardée, au milieu de nulle part.

La première chose qu'elle avait vue ce jour-là en sortant de la vieille Lada dans laquelle elle voyageait avec un chauffeur qui parlait tchétchène et son équipe de tournage, c'était une vache. Une vache éventrée.

Elle était rentrée à l'intérieur de la ferme. Elle avait vu le corps ensanglanté de la fermière, qui avait été tuée. Elle avait vu les enfants de la fermière, debout. Et la haine, la colère dans leurs yeux.

— *Ce jour-là, je me suis dit que les Russes ne gagneraient jamais, même s'ils tuaient presque tous les Tchétchènes, parce que ceux qui resteraient vivants n'oublieraient jamais.*

La haine que la guerre suscite chez les gens, et la perpétuation de cette haine : comment empêcher cela ? C'est la question qu'elle se pose encore aujourd'hui.

Elle n'est pas du tout optimiste pour l'avenir de l'humanité.

— *On tourne en rond. Plus on écrase les peuples, plus il y a de haine. On n'a qu'à penser à la Palestine… Il n'y a pas de solution dans les conflits.*

Elle ne peut s'empêcher non plus, tout comme Florence Aubenas, de penser aux personnes qu'elle a laissées derrière elle, dans la misère.

— *Que leur est-il arrivé, à tous ces gens que j'ai vus, rencontrés, connus ? Tous ces gens à qui j'ai donné une voix à travers mes reportages ? Moi, je suis partie, mais eux sont restés. À quoi ressemble leur quotidien, leur vie, aujourd'hui ?*

Après la Tchétchénie, il y avait eu le Kosovo. Une guerre qu'elle avait couverte dès le début, au printemps 1999, avant de se faire expulser *manu militari* par les miliciens serbes, comme la plupart des journalistes occidentaux.

Mais d'abord, elle avait assisté aux déplacements des réfugiés, à leur entassement dans des camps.

— *C'était le plus difficile, pour moi : voir tous ces gens qui fuyaient les bombardements, des femmes avec leurs enfants, des femmes qui venaient d'accoucher, d'autres enceintes… Tous ces gens, comme toi et moi, qui avaient une vie, des appartements, et qui subitement se retrouvaient dans des camps où il n'y avait rien, pas de toilettes, pas de couvertures. Ce sont des situations humaines déchirantes.*

Elle marque un temps.

— *Avec mon caméraman, on pleurait en tournant.*

Quelques mois plus tard, quand tu avais débarqué au Kosovo à ton tour, tu avais constaté l'état déplorable des camps de réfugiés. Les bombardements avaient cessé, mais la situation s'était détériorée, les gens s'enlisaient dans la misère.

Tu pleurais, toi aussi, en faisant tes interviews, me confierais-tu plus tard. Ajoutant que ton interprète, une femme du pays, aguerrie, t'avait dit ceci : « Il faut vous ressaisir, monsieur, sinon vous n'y arriverez pas… Ces gens ont besoin de vous pour témoigner de leur situation. »

Tu étais tombé sur une petite fille chétive, barbouillée de saleté, qui pataugeait dans la boue, en bottes de caoutchouc. Tu l'avais prise en photo. Ensuite, tu avais constaté que cette petite fille était privilégiée : la plupart des enfants dans le camp n'avaient même pas de bottes aux pieds. Ils étaient peu vêtus, malgré le froid.

Tu étais tombé sur un vieil homme désespéré, tu l'avais interviewé. Tu lui avais remis ta carte d'affaires de Radio-Canada.

Il avait farfouillé dans ses vêtements sales et brandi comme un trophée une autre carte, semblable, celle de Céline Galipeau.

Elle était officiellement correspondante à Paris, pendant ces années-là. Quand elle était de retour au bercail, motus et bouche cousue.

— *Tu reviens au bout d'un mois, tu n'as pas tendance à vouloir parler de ce que tu as vu. Tu as vécu les situations les plus intenses que tu peux vivre dans ta vie, des histoires de guerre, de mort, de haine, de douleur, de deuil. Tu as ressenti toutes sortes d'émotions exacerbées… Moi, j'étais incapable de partager cela avec qui que ce soit.*

Comment revenir à la vie normale ? Comment se réajuster ? C'était très difficile pour elle. Pour elle aussi, oui.

— *Il y a nécessairement une coupure. Tout à coup, c'est le calme, c'est douillet. Tu prends tranquillement ton café, tu écoutes de la musique classique, il y a une belle lumière…*

Ça n'empêchait pas les images d'horreur de défiler dans sa tête.

— *Le traumatisme se passait vraiment là, pour moi : à mon retour. Je me fermais à l'intérieur, je bloquais tout. J'avais l'impression d'être soudée à l'intérieur de moi-même. Je ne crois pas que c'était la meilleure façon de faire, mais c'est la seule que je connaissais.*

Il y avait sa réalité d'épouse, de mère, qui reprenait le dessus peu à peu.

— *Ça m'a beaucoup aidé d'avoir un enfant. Ça me ramenait à la réalité, à la vie ordinaire. Mon fils avait besoin de moi.*

Puis, elle refaisait ses valises. La soudure tenait le coup. Surtout, ne pas ouvrir la brèche à l'intérieur, se maîtriser, se contenir. Elle repartait sur le terrain, avec son gilet pare-balles. Et son cadenas intérieur.

— *Mon fils m'en voulait beaucoup. Lui, guerre ou pas, ce qu'il n'acceptait pas, c'était que je parte trop longtemps loin de lui.*

Un jour, elle a perdu le nord complètement.

— *Philippe était encore petit, il n'avait pas dix ans. Nous étions dans la salle de bains. Je ne me rappelle plus ce qu'il a dit, mais la situation a dégénéré. Je me suis mise à le frapper… Je suis allée me faire soigner, ensuite.*

Elle a consulté un psychologue. Pendant plusieurs années.

— *Je me suis rendu compte que j'étais complètement déconnectée. Mes émotions, je les mettais dans une cage. Mais elles revenaient… J'ai pris conscience que mon comportement n'avait aucun sens : je pouvais pleurer, être touchée par la moindre petite chose sur le terrain, puis, quand je me retrouvais en famille, tout à coup, je voulais reprendre le contrôle sur tout, et je me mettais à engueuler tout le monde.*

Je me souviens, moi, que lors d'un de tes retours d'Afghanistan, tu avais pris le mors aux dents soudainement. Pour une bagatelle. Camille devait avoir quatorze ans. Elle faisait partie du club de basket-ball de l'école. Elle voulait un nouveau *kit* de sport, elle voulait les mêmes vêtements que ses amies.

Elle avait une tonne de *kits* en réserve, de tous les styles, de toutes les couleurs. Elle avait, bien sûr, tout ce qu'il lui fallait. Mais celui-là, le nouveau, le neuf, le rose pastel, le même que ses amies, elle le voulait à tout prix.

Ce n'était pas la première fois que nous assistions à ses crises d'ado. Et nous avions vécu l'expérience avec son frère quelques années auparavant. Ça faisait partie de l'ordinaire.

Tu as dit non une première fois. Elle a pleurniché. Tu as mis ton poing sur la table, elle a insisté. Et tu t'es mis à vociférer, le regard noir, tu as éclaté.

Ce n'était plus seulement Camille la coupable, l'inconsciente, le bébé gâté, c'était moi, c'était Maxime, c'était tout le Québec, l'Occident tout entier. C'était notre monde douillet, confortable et dépensier, face à ceux qui n'ont rien, qui ont tout perdu, dont la vie est foutue.

Sans doute te reconnaîtras-tu dans les mots de Céline Galipeau :

— *Après avoir vécu le chaos, la misère, quand je rentrais chez moi, tout à coup, dans mon petit univers, il fallait que tout soit bien, que tout soit parfait : je trouvais qu'on aurait dû être très heureux.*

Durant toutes ces années, elle ne s'était jamais posé la question de ce qui la différenciait des hommes qui travaillaient avec elle sur le terrain. Pour elle, ça allait de soi : elle avait toujours fait un métier d'homme, elle avait toujours couvert les événements de la même façon que les hommes.

— *Je n'aimais pas l'aspect bang-bang de la guerre, l'aspect militaire de la chose ; ce qui m'intéressait, c'était l'effet de la guerre chez les gens, le point de vue humain, mais je n'ai jamais cru que c'était parce que j'étais une femme. Bien des hommes sont comme ça aussi.*

Toi, par exemple.

Pendant des années, elle n'a absolument pas senti qu'elle exerçait son métier différemment des hommes. Jusqu'en 2001.

— *Je me suis retrouvée au Pakistan, et en Afghanistan, où la situation des femmes est tellement différente de la nôtre que ça saute en plein visage. Ça a été un choc pour moi, non seulement comme journaliste femme, mais comme femme. Ça a changé ma vision du monde, ça a changé ma vie.*

Le premier choc s'est passé en septembre 2001. Elle arrivait de Pékin. Elle a pris un avion à Islamabad, où les attentats se multipliaient, puis s'est dirigée en voiture près de la frontière afghane. Vers Quetta.

— *Je suis arrivée dans un monde d'hommes : il n'y avait aucune femme, nulle part, dans les rues. C'est la première fois de ma vie que ça m'arrivait.*

À un moment, elle a vu passer une ombre qui longeait un mur, enfouie sous un amas de tissu coloré.

— *Ça m'a pris un moment pour réaliser qu'il s'agissait d'une femme, qu'elle courait, qu'elle était voilée. Je l'ai vue disparaître par une petite porte.*

Ensuite, Céline Galipeau, comme tous les reporters sur le terrain, avait été prise par le conflit : les attentats, les bombes, la guerre. Mais sitôt qu'elle avait pu, par la suite, elle s'était intéressée de près au sort des femmes là-bas. Au-delà du port de la burqa.

— *J'ai changé mon approche des choses. Pour la première fois, quand j'étais sur le terrain, j'avais l'impression d'avoir aussi une responsabilité vis-à-vis de cet aspect-là du conflit, d'une certaine façon. Je me disais : nous, les femmes occidentales, on a tout, et on a cette responsabilité d'essayer d'emmener le monde avec nous, de faire en sorte que les femmes, partout dans le monde, puissent espérer mieux.*

Elle a multiplié les reportages sur le sort des femmes en Afghanistan.

— *J'ai parlé entre autres des femmes qui s'immolent par le feu parce que leur vie est trop dure. La violence envers les femmes est tellement ancrée dans les mentalités, c'est inimaginable ce qu'elles vivent. Ça m'a bouleversée, profondément marquée.*

Quand la guerre a éclaté en Irak, elle s'est retrouvée sur le terrain, toi aussi. Et un jour, au milieu de l'enfer, elle a reçu un appel. De Montréal. Les patrons l'invitaient à rentrer. Pour de bon.

Elle n'avait plus vraiment d'attaches à Montréal, n'en avait jamais eu beaucoup, à vrai dire. Née d'une mère vietnamienne, elle avait passé les premières années de sa vie au Togo et au Sénégal. Où son père travaillait comme diplomate, après avoir été journaliste et correspondant, au Vietnam notamment.

Elle avait grandi avec la radio de la BBC en toile de fond. Elle avait étudié la science politique en Cisjordanie, la littérature en Jordanie. Puis, elle avait terminé une maîtrise en sociologie et en politique à l'Université McGill, à Montréal.

Elle avait jonglé un temps avec l'idée de se lancer dans la mode. Elle s'était inscrite dans une école spécialisée, le Collège Lasalle, à Montréal, pour suivre des cours de dessins de mode. Elle travaillait dans la salle des nouvelles d'une radio privée la nuit, elle était étudiante le jour.

Puis était arrivé l'assaut de l'Assemblée nationale du Québec par un ancien membre des forces armées canadiennes, Denis Lortie, le 8 mai 1984. Le tireur fou avait menacé de s'en prendre au premier ministre René Lévesque, aux députés. Il avait tué trois personnes, en avait blessé treize autres.

Ce jour-là, lorsqu'elle était arrivée au Collège Lasalle, après avoir suivi en direct les événements à la radio, elle était encore sous le choc. Mais, surprise : sur place, personne n'était au courant de rien.

Elle n'en revenait pas. Comment pouvait-on vivre ainsi, en vase clos, coupé du monde ? Elle n'en revenait tellement pas qu'elle a pris sur-le-champ une décision qui allait changer sa vie : ce serait le journalisme ou rien.

Je ne sais pas ce qu'elle t'a raconté, en avril 2003 à Bagdad, je ne sais pas ce que tu lui as dit. Je sais que vous avez beaucoup parlé. Et je sais qu'elle a appelé Pékin.

Son mari, qui jamais n'avait remis en question leur style de vie pendant les quatorze années qu'ils avaient passées à l'étranger, lui a dit : « J'aimerais ça rentrer. »

Vous avez quitté Bagdad le même jour, Céline Galipeau et toi. Dans des autos séparées. Il y avait de la tension dans l'air. Le banditisme sévissait partout, la route ressemblait par moments à une course d'obstacles, des objets hétéroclites jalonnaient la chaussée.

Il n'était pas question de s'arrêter, les chauffeurs conduisaient comme des malades, pour éviter les embuscades. Mais l'auto que tu occupais avec Charles Dubois a eu des ennuis mécaniques.

Vous êtes restés des heures sur une route au milieu de nulle part. Jusqu'à ce que le chauffeur de l'autre voiture décide d'installer une corde de fortune et de tirer votre auto.

À la frontière jordanienne, vous vous êtes dit au revoir, Céline Galipeau et toi. Fin du cauchemar.

Tu es rentré chez nous au bord du fleuve, elle est allée rejoindre son mari et son fils à Pékin, ils ont vidé la maison qu'elle n'avait jamais vraiment habitée. Peu de temps après, elle était dans les studios de Radio-Canada à Montréal.

Toi, tu as repris ton sac à dos, tes deux magnétos et ton gilet pare-balles, tu es reparti à la guerre, avec ton cadenas intérieur.

Chapitre 7

Le Marlboro Man

— *Le 11 septembre 2001 m'a profondément transformé comme journaliste : j'ai vécu une sorte d'épiphanie.*

Ce jour-là, Michel Cormier, correspondant pour la télévision de Radio-Canada à Moscou, était au bord de la mer Noire, dans le sud de la Russie. Pour interviewer la mère de l'un des cent dix-huit marins morts dans la tragédie du sous-marin *Koursk*, un peu plus d'un an auparavant.

Une fois son entrevue terminée, il a téléphoné à la salle des nouvelles télé de Radio-Canada, à Montréal. «Le World Trade Center est en feu», lui a-t-on annoncé au bout du fil.

Au diable le drame des familles de marins. Et tant pis pour les cafouillages répétés des autorités du pays dans l'affaire du naufrage au cours duquel les victimes avaient été privées de secours, pour éviter que le président Poutine et ses sbires ne perdent la face.

Qui, à présent, se souciait de la crise politique qui secouait l'ancien empire soviétique ? Les États-Unis étaient attaqués. Le président Bush allait déclarer la guerre aux terroristes. À Ben Laden, en particulier. Terré en Afghanistan.

Michel Cormier, en poste dans le pays voisin, allait devenir reporter de guerre.

Jusqu'alors, les seules guerres qu'il avait couvertes, en vingt ans de métier, étaient… constitutionnelles. Il était spécialisé en politique canadienne et québécoise.

Il avait été nommé correspondant en Russie à peine un an auparavant, à l'âge de quarante ans. Il avait débarqué à Moscou peu après la tragédie du *Koursk*, avec sa femme, Anne, et leurs trois garçons, dont l'aîné n'avait pas douze ans. C'était son premier poste à l'étranger.

Tout comme Céline Galipeau, il irait ensuite à Paris, puis à Pékin.

— *Devenir correspondant à l'étranger, c'était mon rêve d'enfance.*

En cette fin novembre 2008, Michel Cormier arrive de Washington, où il a interviewé des dissidents chinois en vue d'un livre sur le sujet. Il fait un saut de puce au Québec avant de repartir en Chine, retrouver sa famille et son bureau de correspondant.

Il a débarqué chez nous, au bord du fleuve, le temps d'une soirée. Il m'a d'abord suivie dans mon bureau. Toi, tu es en haut avec l'ami Achille, la table est mise dans le solarium, les enfants vont bientôt se joindre à nous pour le souper.

Tu connais bien Michel Cormier. Ça remonte à loin. Bien avant l'Afghanistan, où vous vous êtes croisés sur le terrain. Vous aviez partagé quelques dossiers journalistiques à l'époque où il était encore au Québec, quelques bières, aussi. Vous aviez tous les deux Achille comme ami, vous aviez tissé des liens serrés.

Je me souviens d'un été, quelques années avant son départ pour Moscou, où nous avons passé une journée, toi, moi et les enfants, avec Michel Cormier et sa famille, Achille, sa femme Gail et leurs enfants, sur une plage ensoleillée du Nouveau-Brunswick.

C'était les vacances, le farniente, l'insouciance, l'ami Achille avait préparé des homards pour tout le monde. Qui aurait pu prédire, alors, que la catastrophe allait frapper ?

Qui aurait pu prédire que Gail, la belle Gail, mourrait prématurément d'un cancer ? Et que vous prendriez un jour le chemin de la guerre, Michel Cormier et toi ?

Personnellement, c'était la deuxième fois, cet été-là, que je le voyais. Notre première rencontre remontait à 1997, au Vietnam, lors d'un sommet de la francophonie.

Il accompagnait le premier ministre québécois de l'époque, Lucien Bouchard, pour la télé de Radio-Canada. Je couvrais de mon côté l'aspect culturel du sommet, pour la radio.

Je m'efforçais aussi, comme pigiste à l'écrit, de rencontrer en douce des intellectuels et des écrivains dissidents : j'avais obtenu quelques témoignages troublants à Saigon, je m'apprêtais à rencontrer clandestinement, à Hanoï, un journaliste vietnamien très critique vis-à-vis du régime communiste en place.

Michel Cormier était curieux, voulait en savoir plus sur le sujet. Nous avons tout de suite sympathisé. Je me souviens d'un B-52, cocktail alcoolisé plutôt explosif, pris en sa compagnie aux petites heures du matin, dans un bar enfumé de Hanoï, le bar… Apocalypse Now. Ça ne s'invente pas.

Aujourd'hui, c'est un autre Michel Cormier que j'ai devant moi. Je découvre un homme grave. Qui parle avec émotion des transformations opérées chez lui dans la foulée du 11 septembre 2001.

Mais commençons par le début. À l'âge de quinze ans, dans son village natal de Cocagne, au Nouveau-Brunswick, lorsqu'un professeur de français de dixième année avait demandé à ses élèves d'écrire sur un bout de papier où ils se voyaient dans vingt-cinq ans, Michel Cormier, fils d'une enseignante et d'un concierge, avait griffonné qu'il serait journaliste pour Radio-Canada à l'étranger.

Vingt-cinq ans plus tard, bachelier en journalisme et détenteur d'une maîtrise en science politique, journaliste reconnu dans son pays, le petit Acadien qui piaffait d'impatience de parcourir le vaste monde avait réussi son pari. Il était devenu correspondant.

De là à se retrouver au front !

La guerre ne faisait pas partie de ses plans, pas plus que des tiens. Mais voilà que, deux semaines après l'effondrement des tours jumelles à New York, juste avant que tu ne prennes à ton tour le chemin de l'Afghanistan, on le dépêchait au pays des talibans. Sans préparation aucune.

Comment dire non ? Et pourquoi refuser ?

— *Je me suis dit : il faut que j'y aille, que je le fasse, sinon, j'aurais l'air de quoi ! Il y a une pression du métier, alimentée par une sorte de romantisme de ce que c'est que d'être journaliste.*

Autrement dit :

— *Je ne suis pas un vrai journaliste si je n'y vais pas : c'est ce que je me suis dit.*

Le danger, les risques ? Ses responsabilités de père, de mari ? *Pshitt.* Sur le coup, il a fait comme toi, il a complètement évacué ça de son esprit.

— *L'image que j'avais en tête ressemblait à celle du Marlboro Man.*

Tiens, je n'y avais pas pensé, à celle-là ! L'image culte de la publicité Marlboro, ce cow-boy viril, qui fume sa clope, sans peur et sans reproche, comme incarnation du «vrai» journaliste.

Michel Cormier avait le choix, pourtant. Toi-même, tu me l'as répété cent fois : tous les journalistes ont le choix. Tous les journalistes envoyés en zone de guerre insistent, personne ne les oblige à dire oui. Il suffit de décliner l'offre, on enverra quelqu'un d'autre et c'est tout.

— *Pour moi, c'était comme une sorte de test. Un test que je me faisais passer à moi-même. Mais aussi, un test que mon métier, et mon poste de correspondant, en particulier, exigeait de moi. Bien sûr, j'avais le droit de dire non : c'est même inscrit dans la convention collective des journalistes de Radio-Canada.*

Mais les patrons avaient aussi le droit de me ramener au pays et de nommer un autre correspondant à Moscou…

Bref, le Marlboro Man a eu raison de lui. Et effectivement, une fois débarqué en Afghanistan via le Tadjikistan avec son équipe télé, Michel Cormier, premier journaliste canadien à fouler le territoire taliban depuis les attentats du 11 septembre, était fier de son coup.

Il avait réussi, il l'avait fait. Son ego était satisfait, c'était glorifiant. Il était là, sur le terrain, en Afghanistan.

Mais très vite, derrière son armure de héros, le contentement s'est transformé en malaise. Pourquoi?

D'abord, le choc :

— *Je me retrouvais dans un pays qui n'avait pas changé depuis mille ans, parmi une population sans eau courante, sans électricité, qui vivait dans la guerre depuis des années : c'était comme de voir la vie à l'état pur.*

Il n'avait jamais rien vu de tel, malgré la vingtaine de pays où il avait mis les pieds comme journaliste politique accompagnant les chefs d'État québécois et canadiens à l'étranger.

— *C'est difficile pour moi, même aujourd'hui, d'exprimer ce que ça m'a fait. Je dirais que ça m'a « raccordé » avec le monde, avec le reste de l'humanité.*

Pas d'interférence. Pas de filtre. Pas d'agents de relations publiques, de groupes sociaux, ni de partis politiques, sur place, qui tentent de s'approprier l'information, de la manipuler.

— *Je me suis rendu compte que chez nous, l'information est toujours un peu déjà transformée par des intérêts sociaux, par ceux qui ont intérêt à attirer l'attention des médias sur telle ou telle façon de voir. Et puis, nous avons tendance à être cyniques, du genre : la démocratie, ça ne marche pas, c'est juste des intérêts qui sont en jeu. Tandis que là… Nous partions seuls, le matin, laissés à nous-mêmes. Avec notre caméra, nous essayions de capter la vie de ces gens dans la guerre, tentant de survivre dans des conditions inimaginables, tellement dures.*

Impossible d'être cynique dans ce contexte. D'où le malaise ressenti par Michel Cormier.

— Je me sentais mal de m'approprier la vie de ces gens dans le besoin, de rentrer dans leur vie de misère pendant deux ou trois heures avec une caméra et d'en ressortir comme si de rien n'était, de les laisser là.

Comment ne pas se sentir voyeur ? Comment ne pas se voir comme un pilleur, un vautour, même ?

— J'avais l'étrange sensation d'abîmer quelque chose.

Fortement ébranlé, Michel Cormier, en Afghanistan.

— Ça a changé ma façon de voir et de pratiquer mon métier. J'en suis venu à me dire que la seule justification que nous avons comme journalistes, c'est d'être humains, de respecter les gens qui souffrent, qui sont dans la misère. Et de rendre justice à ce qu'ils vivent.

Il n'a jamais été religieux, se définit comme un agnostique. Mais il parle de cette expérience, sa première comme journaliste dans un pays en guerre, comme d'une révélation.

— Si j'ai découvert une sorte de religion en Afghanistan, c'est l'humanisme.

Il est retourné plusieurs fois en Afghanistan. Il a couvert la guerre en Irak, a été dépêché au Pakistan, en Israël, dans les Territoires palestiniens… Peu à peu, c'est aussi sa vision de la mort qui a changé.

— Nous, Occidentaux, avons été élevés dans des sociétés où on repousse la mort constamment. Nous n'acceptons pas la mort. Alors que dans la guerre, c'est normal de mourir.

Combien de scènes d'horreur a-t-il eu sous les yeux, combien de corps ensanglantés, démembrés, explosés ?

— J'ai réalisé à quel point nous étions chanceux de vivre où l'on vit, tandis que dans les pays en guerre, des gens innocents sont victimes de la bêtise humaine.

Parmi les images dont il n'arrive pas à se débarrasser, il y a celle d'un marché, à Tel-Aviv, où venait d'avoir lieu un attentat-suicide.

— Il y avait des morts partout, du sang, tellement de sang. Il y avait des bouts de chair dans les étalages, au milieu des fruits et légumes. C'était impossible de distinguer les lambeaux

qui appartenaient aux victimes de ceux provenant du type qui s'était fait exploser.

Ce qui lui est venu à l'idée, sur le coup :

— *Je me suis mis à imaginer les gens qui apprêtaient leurs étalages le matin... et dont la vie avait été bousculée, soudain, par l'aléatoire : une bombe qui tombe.*

Ça ne l'a pas empêché de faire son travail.

— *On développe des réflexes. C'est un peu comme les ambulanciers : il faut se concentrer sur la raison pour laquelle nous sommes là.*

Pas de cauchemars par la suite, non.

— *J'ai plus de problèmes avec les gens qui sont vivants, qui restent, qui souffrent. Ça me touche plus, parce que je sais que moi, je vais partir, et que rien ne va changer pour eux, dans leur vie de misère.*

Même réaction que Céline Galipeau, que Florence Aubenas. Les vivants d'abord.

Quant à sa mort à lui, Michel Cormier a mis du temps avant d'accepter de l'envisager. Le Marlboro Man, encore.

À sa femme, Anne, qui s'inquiétait de le voir repartir en Afghanistan, en novembre 2001, alors que les bombardements américains avaient commencé et que le jour même quatre journalistes occidentaux avaient été tués dans une embuscade entre Jalalabad et Kaboul, il a rétorqué bêtement : « Ils n'ont pas été prudents ; moi, je ferai attention, ne t'inquiète pas. »

Mais Anne insistait : quelques jours auparavant, trois journalistes européens qui accompagnaient les troupes de l'Alliance du Nord sur la ligne de front avaient été tués... Il lui a dit : « Écoute, moi, je ne serais jamais monté, comme eux, dans un char d'assaut pour aller dans une zone de combat ! »

Alors qu'en réalité :

— *Je n'en savais rien, mais vraiment rien, au fond de moi-même.*

Quand il était sur le terrain, il appelait sa femme pour la rassurer, bien sûr. « Tout va bien ? »... « Oui, ne t'inquiète pas, tout va bien. » C'était une espèce de code entre eux. Ils réduisaient au minimum les dialogues.

Ça l'arrangeait bien, Michel Cormier : moins il parlait, moins il risquait de mentir à sa femme sur la gravité de la situation.

— *Je n'ai pas eu besoin de lui mentir souvent. Mais une fois, elle m'a vu à la télé : elle était furieuse.*

Il était au front. Ça tirait à la kalachnikov, il y avait des combats pas très loin. Sur le plateau, il portait son gilet pare-balles.

— *Je lui ai dit que dans les faits, ce n'était pas vraiment dangereux, qu'il m'avait fallu mettre le gilet pare-balles à cause des assurances, qui n'auraient pas payé dans le cas où j'aurais été blessé. C'était stupide comme réplique, mais c'est tout ce que j'ai trouvé à dire.*

Combien de fois a-t-il risqué sa vie ?

— *Au début, j'étais inconscient du danger. J'ai fait des erreurs épouvantables. Comme de sortir le réflecteur pour faire un plateau alors que nous étions sur la ligne de front : nous attirions nécessairement l'attention, nous devenions des cibles évidentes pour quiconque aurait voulu tirer. C'est une des premières leçons que j'ai apprises ensuite dans les cours de formation : quand tu arrives sur le front, tu ne dois surtout pas attirer l'attention avec quelque objet lumineux que ce soit !*

Il a aussi appris à évaluer les tirs, à repérer leur provenance. Il a développé une certaine expertise balistique. Et il a appris comment éviter les barrages, à ne pas s'arrêter au milieu de nulle part. Bref, il a acquis toutes sortes de techniques, comme Céline Galipeau, comme toi, pour minimiser les risques.

Reste que la guerre est la guerre.

— *Il faut accepter une certaine quantité de risques. C'est le calme plat, jusqu'à ce qu'il se passe quelque chose, et habituellement, s'il se passe quelque chose, il est trop tard.*

Reste aussi que la télé est la télé. Être au plus près de l'événement, de l'histoire, pour donner à voir, ça fait partie du jeu.

— *Tout est une question de dosage. Moi, j'ai un principe avec mes caméramen : je ne leur demanderai jamais d'aller filmer quoi que ce soit si je ne suis pas prêt à y aller aussi. Et quand c'est risqué, qu'il y a des possibilités d'attentats, d'enlèvements, on ne reste jamais très longtemps au même endroit.*

À ce propos, il confie que la Tchétchénie, dans les années 2000, lui faisait beaucoup plus peur que l'Afghanistan.

— *Même avec un fixeur, je sentais que ce n'était pas sécuritaire d'y aller. Les journalistes de la presse écrite pouvaient se déguiser, faire rapidement des entrevues ici et là, mais, moi, en télévision, avec mon équipe, j'étais facilement repérable : les risques de se faire arrêter, enlever ou tuer étaient palpables.*

Parmi les attentats auxquels il a assisté, et où il aurait pu laisser sa peau : le premier dont a été victime l'ancienne première ministre du Pakistan lors de son retour au pays, en octobre 2007. Les kamikazes avaient bien malgré eux épargné Benazir Bhutto, qui serait assassinée peu après, mais n'en avaient pas moins fait cent trente-neuf victimes dans le défilé qui l'acclamait.

Avec les années, l'expérience sur le terrain, et vu le nombre grandissant de journalistes kidnappés ou tués dans les zones à risque, Michel Cormier a cessé de se fermer les yeux devant l'éventualité de sa propre mort. L'image du Marlboro Man a fini par pâlir dans son esprit.

— *Je me suis rendu compte que ce n'est pas une question de courage. Que c'est idiot de ne pas prévoir les coups. Que ce n'est pas « payant », finalement. On a la responsabilité de rester vivant : un journaliste mort, ça ne sert à rien.*

Ça ne l'empêchera pas, au printemps 2010, d'avoir une frousse du diable, en Thaïlande. Alors qu'il se retrouvera au beau milieu d'une guérilla urbaine.

Envoyé spécial pour Radio-Canada à Bangkok, gilet pare-balles sur le dos et casque enfoncé sur la tête, Michel Cormier a assisté à la prise d'assaut, par l'armée thaïlandaise, du camp fortifié des Chemises rouges, en plein centre-ville.

Six personnes ont été tuées dans les affrontements. Dont un photographe italien, terré avec les protestataires. Michel Cormier, qui suivait l'armée dans ses avancées en compagnie de son caméraman et de son réalisateur, a lui-même été la cible de tireurs embusqués.

Sur son blogue, le 21 mai 2010, il note : « Nous nous sommes jetés à plat ventre, entourés de soldats qui faisaient feu en direction des tireurs. L'altercation a duré près de cinq minutes, mais ça a eu l'air d'une éternité. »

Il fait remarquer aussi que sa formation de guerre lui a permis de garder son sang-froid et de savoir comment se protéger. Ce qui n'était pas le cas, ajoute-t-il, d'un jeune Canadien qui s'était improvisé journaliste pour l'occasion : « Il est resté debout, exposé, à l'avant des troupes. Un tir de grenade des Rouges l'a fauché. Aux dernières nouvelles, il était inconscient à l'hôpital, blessé grièvement. »

Reste que, sang-froid ou pas, préparé ou pas, conscient du danger ou pas, Michel Cormier aurait très bien pu y passer : c'est ce que je me suis dit en l'entendant relater les événements, le jour même de l'assaut, à la radio.

Quelques semaines plus tard, une fois rentré à Pékin, il me confiera que cette fois-là, la première fois de sa vie où il se faisait clairement tirer dessus, il a franchi un seuil nouveau dans le reportage de guerre.

— *Allongé à plat ventre sur l'asphalte, au milieu d'un échange de tirs qui n'en finissait plus, j'ai ressenti une étrange sérénité, un genre de lucidité, de calme peut-être, qui me permettait d'avoir une conscience aiguë de mes sens. Je ne tiens pas à en refaire l'expérience, mais cet épisode a été pour moi un genre de rite de passage dans l'affrontement du danger. J'ai ressenti de façon presque viscérale les paroles de Saint-Exupéry, qui disait qu'avant de monter à bord de son avion pour des missions de guerre, il lui fallait « arracher les écorces de la peur » afin d'avoir la lucidité de pouvoir fonctionner sous le feu ennemi.*

Dans mon bureau, au bord du fleuve, Michel Cormier est loin de se douter qu'il lui faudra « arracher les écorces de la peur » en Thaïlande. Il dit qu'il ne fait pas du tout partie de ces journalistes qui se croient invincibles, ou qui ont cette espèce de désir de mourir dans la gloire journalistique. Il dit que c'est ce qu'il a compris avec le temps.

— *Je tiens à la vie. Et en plus, comme père, j'ai ce devoir-là : rester vivant.*

Il dit qu'avec ses trois garçons, il n'a jamais abordé la question de front, n'a jamais vraiment parlé des risques qu'il a pris, d'abord en Afghanistan.

— *Les parents de leurs amis à l'école étaient dans la même situation que moi : à Moscou, après le 11 septembre 2001, tous les journalistes étrangers en poste partaient régulièrement en mission en Afghanistan. Alors pour mes garçons, ça faisait tout simplement partie de la vie !*

Étrange, comme le contexte peut faire la différence. Toi, tu étais le seul père, dans l'entourage des enfants, qui partait couvrir la guerre. Ça ne faisait pas du tout partie de la vie, malgré leurs efforts et les miens pour faire comme si.

Sara Daniel, le 14 avril 2003. Après plusieurs jours de combat, la ville natale de Saddam Hussein, Tikrit, vient de tomber aux mains des soldats américains.

Source : collection personnelle de Sara Daniel

Céline Galipeau, en mars 2006, après 48 heures sans sommeil, en compagnie de soldats canadiens de la base de Valcartier, dans les montagnes au nord de Kandahar.

Source : Sergio Santos/Radio-Canada

Michel Cormier avec sa réalisatrice russe, Tanya Stukolova, et leur interprète afghan, Oktar, en novembre 2001, à l'est de Tolequan, dans le nord de l'Afghanistan.

Source : collection personnelle de Michel Cormier

Elizabeth Palmer en compagnie de soldats du 2nd Light Armored Reconnaissance Battalion des US Marines, pendant la bataille de Fallouja, en Irak, en novembre 2004.

Source : J.R. Hall/CBS

En 1986, Barbara Victor réalise la première entrevue avec le chef de l'État libyen, Mouammar Kadhafi, après les bombardements américains sur Tripoli.

Source : collection personnelle de Barbara Victor

Anne Nivat, en mars 2009, dans les rues désertées de Bagdad.

Source : collection personnelle d'Anne Nivat

Michèle Ouimet, dans un camp de réfugiés près de Kandahar, en 2003.

Source : Martin Tremblay/*La Presse*

En 1997, Lieve Joris dans une baleinière chargée de réfugiés hutus, en route pour Mbandaka.

Source : collection personnelle de Lieve Joris.

Raymond Saint-Pierre en compagnie de son caméraman Sergio Santos, dans Beyrouth-Sud, pendant la guerre opposant Israël au Hezbollah à l'été 2006.

Source : collection personnelle de Raymond Saint-Pierre

Rony Brauman, en 1986, au retour d'un voyage clandestin en Afghanistan.

Source : MSF

CHAPITRE 8

Des larmes pour le sort de l'humanité

Une chose me frappe dans ce qu'a dit Michel Cormier. Une chose toute simple : « Je tiens à la vie. »

Ou plutôt, non. Deux choses. Celle-ci aussi : « Comme père, j'ai ce devoir-là : rester vivant. »

Je voulais te demander…

Tiens-tu à la vie ?

Et crois-tu que, comme père, tu as ce devoir-là : rester vivant ?

Parmi les journalistes étrangers en poste à Moscou en même temps que Michel Cormier en 2001, il y avait Elizabeth Palmer, correspondante pour la télé américaine CBS. Mariée, mère d'un garçon et d'une fille. Et néanmoins envoyée régulièrement en mission en Afghanistan.

Un jour, peu après la chute des talibans en Afghanistan, alors qu'elle s'apprêtait à quitter Moscou pour Kaboul, son fils d'une dizaine d'années, son aîné, lui a dit fièrement : « Tu sais, maman, à l'école, plusieurs de mes copains voient leur père journaliste partir en Afghanistan, mais moi, je suis le seul à avoir une mère qui va là-bas ! »

S'il avait su…

Une fois arrivée là-bas, sa maman s'est retrouvée les deux pieds dans un guêpier. Alors qu'elle s'était aventurée, avec des combattants de l'Alliance du Nord, sur une route au milieu de nulle part, elle s'est fait tirer dessus par une petite bande de talibans qui tentaient de fuir.

— *C'est le genre de situations où le danger se présente sans prévenir…*

Maintenant en poste à Londres, Elizabeth Palmer continue de retourner régulièrement en Afghanistan. Elle passe le plus clair de son temps dans les zones à risque. Au Moyen-Orient en particulier.

Constamment sur le qui-vive, à la merci des événements, des conflits, elle m'avait prévenue : elle pouvait annuler à tout moment notre rendez-vous et s'en excusait d'avance, au cas où.

En ce dimanche de mai 2009, tandis que la matinée s'étire sous le crachin londonien, Elizabeth Palmer, sandales aux pieds et thé fumant à portée de main dans son salon *cosy*, respire un peu. Pas pour longtemps…

Elle ne tardera pas à retourner en Iran, où elle était il y a quelques semaines à peine. Pendant ce temps, une journaliste américaine d'origine iranienne, Roxana Saberi, croupissait en prison, sous des accusations d'espionnage. On craignait le pire.

Comment ne pas penser à Zahra Kazemi, cette photographe canado-iranienne, morte en détention en Iran, en juillet 2003, après avoir été arrêtée devant une prison de Téhéran où elle prenait des photos ?

Elizabeth Palmer a bien connu Zahra Kazemi, qu'elle a côtoyée en Irak.

— *Elle travaillait seule, disposait de peu de moyens. Je lui avais offert d'utiliser nos bureaux de CBS, à Bagdad.*

Un jour, la photographe lui a annoncé qu'elle partait en Iran.

— Elle m'a dit que les étudiants manifestaient contre le régime là-bas, qu'elle croyait que cela pourrait tout changer, qu'elle voulait en témoigner.

Zahra Kazemi allait pénétrer dans son pays d'origine, tout comme Roxana Saberi par la suite, sans se formaliser de demander un visa : avec son seul passeport iranien. Mais elle serait davantage ciblée, plus vulnérable en cas de pépin.

Une fois là-bas, elle est restée en contact avec Elizabeth Palmer, qu'elle appelait de temps en temps à Bagdad.

— Elle me disait : « Il faut que tu viennes, c'est tellement effervescent, on dirait bien que les étudiants vont renverser le régime ! »

Et puis, plus rien. Elizabeth Palmer a appris la mort de Zahra Kazemi à la radio.

Quand elle a su que Roxana Saberi était emprisonnée en Iran, elle s'est intéressée de près à son sort, a souhaité la rencontrer pour une entrevue à la télé.

— Mais on m'a dit que ce serait pire pour elle si les Iraniens savaient qu'un grand média américain rôdait autour. On m'a conseillé de rester loin d'elle, pour la protéger. Ce que j'ai fait.

Roxana Saberi a fini par être libérée, a regagné saine et sauve les États-Unis. C'est une tout autre histoire que couvrira Elizabeth Palmer en Iran la fois d'après.

Au milieu du chaos, dans les rues de Téhéran, elle assistera à la répression sanglante du mouvement populaire de protestation antigouvernemental. Avant de devoir quitter subitement le pays, sous la pression des autorités, comme Sara Daniel, comme la plupart des journalistes étrangers, à qui l'on refusera de prolonger leur visa.

Ce ne sera que partie remise, pour Elizabeth Palmer. Elle demandera un autre visa, se rendra en Iran à nouveau. Tout en continuant de surveiller de près les poudrières ailleurs, au Moyen-Orient.

Être là où ça brasse, où ça casse, où ça pète, pour en témoigner, à chaud, c'est sa vie, à elle aussi. Et elle n'a pas du tout l'intention d'en changer.

— C'est tellement excitant… Tout est tellement plus intense dans les zones de conflit, dans les zones de guerre en particulier !

Le pendant féminin du Marlboro Man existe, je l'ai rencontré, suis-je tentée de m'exclamer tandis qu'Elizabeth Palmer, Liz pour les intimes, savoure tranquillement son thé dans son salon *cosy*.

Quant à son mari, celui qui veille au grain lorsqu'elle est au loin :

— Luc ne m'a jamais empêchée de partir.

« Personnellement, je ne comprends pas son désir d'être à tout prix, tout le temps, au milieu des conflits », me confiera-t-il. Pour cet enseignant de métier… comme pour moi, c'est simple : « Si la guerre explose quelque part, je fuis dans la direction opposée. Ça me paraît un réflexe humain plus intelligent, non ? »

Bien sûr qu'il est inquiet quand sa femme est sur le terrain. Mais, comme il le dit si bien : « Il n'y a rien que je puisse faire. Et ça ne sert à rien de faire peur davantage aux enfants. La mère de Liz et moi, on se dit souvent en riant que si on s'inquiète juste assez, on va la protéger et elle va être OK. »

Incroyable mais vrai, il en est venu à penser comme un reporter de guerre, d'une certaine façon : « Théoriquement, il y a autant sinon plus de risques que Liz meure dans un accident de la circulation ou de vélo, ici, à Londres, qu'elle se fasse tuer dans une zone de conflit. »

Luc… contrairement à moi, a fini par se faire une raison : « Si Liz veut aller à la guerre, qu'elle y aille. Je ne peux pas l'en empêcher : c'est ce qui la rend heureuse. »

Reporter de guerre, c'est ce qu'elle a choisi d'être depuis le début, Elizabeth Palmer. Contrairement à Céline Galipeau, à Michel Cormier, à toi, la guerre n'est pas un accident dans son parcours de journaliste. C'est ce qu'elle avait dans sa mire, bien avant d'avoir des enfants. Bien avant de rencontrer leur futur père, lors d'un voyage autour du monde sur un voilier.

— Dès que j'ai commencé à travailler comme journaliste, au tournant des années 1980, c'était mon objectif : devenir reporter de guerre.

C'est au Canada qu'elle a commencé à faire du reportage : le pays où elle a grandi, bien que née à Londres, d'une mère anglaise et d'un père d'origine néo-zélandaise.

Sa première guerre, elle l'a couverte en 1992, pour le réseau anglais de Radio-Canada. Elle s'était rendue dans la Bande de Gaza, en Israël et en Jordanie, pendant la première Intifada.

Nommée deux ans plus tard correspondante au Mexique, elle s'est retrouvée au milieu des combats menés par les rebelles zapatistes du sous-commandant Marcos. Puis, affectée à Moscou en remplacement de Céline Galipeau, elle a couvert le conflit tchétchène.

À l'époque, la criminalité, la contrebande et les enlèvements ne cessaient de croître, en Tchétchénie. Elizabeth Palmer a failli être prise en otage par deux trafiquants d'armes. Deux Tchétchènes qui lui servaient pourtant de chauffeur-garde du corps et de fixeur.

— *Ils ont menacé de me flanquer dans une cabane éloignée, en montagne, avec mon caméraman russe et mon réalisateur canadien, en vue de demander une rançon à Radio-Canada… J'étais terrifiée !*

Heureusement, la mère de l'un des deux Tchétchènes, chez qui le groupe s'était réfugié pour la nuit, est intervenue en faveur de la journaliste étrangère et de ses collègues.

Ce n'est qu'après septembre 2001, alors qu'elle travaillait pour la chaîne américaine CBS depuis un an, qu'Elizabeth Palmer s'est véritablement spécialisée dans le reportage de guerre.

— *Alors que la politique étrangère américaine a changé radicalement, je me suis retrouvée en plein cœur de l'action. C'était fascinant ! Ça m'a permis de couvrir de grandes histoires, avec de grands moyens, pour les Américains. Autrement dit, de couvrir leurs guerres et leurs soldats, au front, en tant qu'étrangère, mais pour eux.*

Lors de la célèbre bataille de Fallouja, en Irak, en 2004, elle a été incorporée à une unité de marines. Pendant trois jours, elle a assisté aux combats de cette mémorable offensive américaine, qui allait faire des milliers de morts et pratiquement raser Fallouja, ville symbole de la rébellion irakienne, située à une cinquantaine de kilomètres de Bagdad.

— *Cette bataille était l'une des plus grandes qu'ont menées les Américains depuis la guerre du Vietnam : outre les marines, il y avait l'artillerie arrière, l'artillerie d'approche, la ligne de reconnaissance, les avions de guerre de plusieurs sortes, les tanks qui entraient... C'était tellement impressionnant : ça reste sans doute ce que j'ai vu de plus impressionnant dans ma vie !*

Elizabeth Palmer n'est pas la seule à parler de cette bataille comme d'une expérience hors du commun. Un journaliste aguerri du *New York Times*, Dexter Filkins, qui était lui aussi incorporé à un groupe de marines à Fallouja, notait, en novembre 2004 : «Même pour un reporter qui a couvert une demi-douzaine de conflits, se retrouver ainsi avec une unité combattante à Fallouja a été une expérience unique, une plongée dans une bataille différente de toutes les autres.»

Il ajoutait : «Des premières roquettes tirées depuis la ville sur les marines qui avançaient jusqu'au vacarme des derniers affrontements, les sensations éprouvées devant cette bataille furent extraordinaires, parfois presque irréelles.»

Cette bataille, Elizabeth Palmer ne devait même pas y être, en fait. Elle était censée assurer la coordination des informations pendant l'attaque depuis Bagdad, dans les bureaux de CBS. Mais à la dernière minute, sa consœur journaliste affectée à l'événement a été empêchée d'y aller.

— *J'aurais pu refuser de la remplacer. Personne ne m'aurait obligée à y aller, tout le monde s'attendait à ce que je dise non. Mais je me suis dit, un peu comme un soldat : c'est quelque chose que je ne verrai pas deux fois dans ma vie, j'y vais.*

Elle n'a pas pris le temps d'avertir son mari à Londres. Luc a appris qu'elle était à Fallouja quand il a vu son premier reportage à la télé.

— *C'était la première, et ça reste la seule fois de ma vie où j'ai agi ainsi. Habituellement, Luc sait toujours où je me trouve. Mais tout est allé si vite cette fois-là...*

Elle s'en est voulu par la suite.

— *C'était une décision très égoïste de ma part. J'ai choisi d'y aller tout en sachant que c'était dangereux. Et Luc, pourtant si flegmatique d'ordinaire, s'est rongé les sangs pendant trois jours.*

Elle-même a craint pour sa vie plus d'une fois au cours de ces trois jours-là.

— *Les risques de se faire tuer dans une opération d'envergure de ce type sont très grands : juste une petite erreur stupide et ça y est. J'ai vraiment cru que je pourrais faire partie des dommages collatéraux… J'ai eu très peur.*

Sa façon de passer au travers : se dire que s'il lui arrivait quelque chose, elle n'aurait pas le temps de s'en rendre compte. Même si Fallouja assiégée représentait le summum de tous les guêpiers dans lesquels elle avait mis les pieds jusque-là, elle tentait de minimiser la situation. Elle en avait vu d'autres, non ?

À Bagdad, il y avait eu toutes ces fois où elle s'était terrée dans sa baignoire pour se protéger des bombardements. Lorsqu'elle appelait son mari à Londres, il arrivait à Luc d'entendre les bombes tomber, à l'autre bout du fil.

Il y avait les risques constants d'enlèvements, aussi. Malgré les gardes armés jusqu'aux dents, formés par des brigades spéciales en Angleterre, qui veillaient sur elle en permanence.

— *J'ai certainement fait deux ou trois plans de fuite dans ma chambre : j'avais repéré un sofa qui était vide à l'intérieur… Je me disais qu'au pire, dans une situation d'urgence, je pouvais m'y cacher, personne ne m'y trouverait.*

Quand elle partait en reportage, dans les rues de Bagdad ou dans les alentours, serrée de près par ses armoires à glace, elle ne restait jamais très longtemps au même endroit.

— *CBS a toujours été très strict là-dessus. Ça m'embêtait un peu, ça réduisait ma marge de manœuvre, mais c'était pour me protéger.*

Les risques étaient tout de même là : Elizabeth Palmer a perdu deux de ses collègues de CBS, Paul Douglas et James Brolan, morts dans un attentat suicide à Bagdad, en 2006, tandis que la journaliste qui les accompagnait, Kim Dozier, a survécu de justesse à ses blessures.

Toujours en Irak, un autre collègue d'Elizabeth Palmer, le photographe américain Richard Buttler, a été enlevé avec son interprète par un groupe armé, en février 2008. Il a été retrouvé deux mois plus tard, par hasard, lors d'une patrouille de routine menée par des militaires irakiens alliés aux forces internationales. Il était ligoté, la tête recouverte d'un sac. Mais en vie.

Au-delà de la tristesse immense éprouvée pour ses collègues enlevés, blessés ou tués, au-delà ce qu'elle appelle, comme Florence Aubenas, « les risques du métier », auxquels elle est elle-même confrontée, Elizabeth Palmer reste sensible, d'abord et avant tout, comme Florence Aubenas, comme Céline Galipeau, comme Michel Cormier, à la détresse, à la misère humaine qu'elle côtoie dans les pays en guerre.

Toutes ces images qu'elle garde en elle, elle aussi. Et toutes ces situations où le sentiment d'impuissance l'a assaillie.

— *Je me souviens d'un homme, avec son enfant de quatre ou cinq ans, gravement malade, sur ses épaules, dans un hôpital de Bagdad, en plein chaos. Il tentait de m'expliquer que son fils était atteint de dommages cérébraux, à cause d'une maladie très rare.*

L'homme lui a remis un papier, avec son numéro de téléphone, et lui a demandé de faire quelque chose. Elizabeth Palmer a téléphoné à un médecin qu'elle connaissait à Bagdad.

Elle a vite compris que non seulement l'enfant avait besoin de médicaments spécifiques, introuvables au milieu du chaos à Bagdad, mais qu'il lui fallait un régime particulier.

— *Dans un pays occidental, en temps normal, il n'y aurait eu aucun problème. Il y aurait eu les médicaments et la nourriture nécessaires pour sauver cet enfant. C'était très dur : je savais qu'il était condamné à mourir et je ne pouvais rien faire.*

Une autre fois, en Irak toujours, c'était au début de la guerre, elle s'est retrouvée dans une maternité. Les tenues de chirurgiens étaient empilées sur des tablettes, prêtes à être utilisées. Maculées de taches de sang. Et les draps qui devaient servir aux femmes venues accoucher, aux nouveau-nés, étaient dans le même état.

En revenant de la salle d'accouchement, Elizabeth Palmer est passée par un local où reposaient des bébés sous respirateurs. Le courant était coupé. Pas d'électricité. Et le carburant manquait pour les génératrices : il y avait des combats tout près, c'était trop risqué de s'aventurer à l'extérieur pour aller en chercher.

Tout à coup, elle a aperçu un bébé dont le teint passait au gris. Elle l'a dit à un médecin sur place. Qui a secoué le nouveau-né pour qu'il recommence à respirer. Et qui a répliqué : « Je ne peux rien faire d'autre, hélas ! Cet enfant ne passera pas la nuit… »

— J'ai été très éprouvée. Cette femme médecin devait être confrontée à ce genre de situations tous les jours… Mais pour moi qui avais toujours été très optimiste, qui avais toujours cru que si on s'applique, normalement, on peut faire quelque chose de bien, améliorer les choses, au moins… c'était intolérable de savoir qu'il n'y avait rien à faire pour empêcher ce petit bébé de mourir.

Sur le coup, elle n'a pas flanché. Ne pas pleurer, surtout. Elle a fait ce qu'elle avait à faire, elle a raconté son histoire, bouclé son reportage pour la télé. Comme toujours.

Mais le cadenas intérieur se fissure, parfois, n'est-ce pas ?

— Je me souviens d'une fois, j'arrivais d'un séjour plutôt éprouvant en Afghanistan, où j'avais assisté à des actes particulièrement violents : j'ai éclaté en sanglots.

Ce jour-là, elle était avec sa fille et son frère, venu du Canada. Ils assistaient à une fête des vétérans dans un grand parc de Moscou ; c'était une belle journée de printemps, il y avait des gens qui pique-niquaient, des ballons, de la musique…

— J'étais inconsolable. J'ai pleuré à flots, ce jour-là. Je pense que toute la tristesse qui était en moi est sortie. C'étaient des larmes pour le sort de l'humanité, je crois.

Quand elle a pu aider, elle l'a fait. En Afghanistan, justement. À vrai dire, elle est allée beaucoup plus loin que bien
des reporters prisonniers de la sacro-sainte objectivité journalistique, qui interdit de prendre parti.

Elle a sauvé une femme afghane menacée de mort. Faranaz
Nazir, tu te souviens? Tu l'avais rencontrée en Afghanistan,
en octobre 2001, tu l'as interviewée quelques années plus tard,
à Toronto.

— *J'ai fait sa connaissance dans le nord de l'Afghanistan.
Elle militait pour le droit des femmes dans son pays et parlait
ouvertement aux journalistes étrangers. Les gens de l'Alliance
du Nord n'aimaient pas ça : ils étaient peut-être des alliés des
Américains, mais ils n'étaient surtout pas féministes. J'ai compris
très vite qu'elle était en danger.*

Dans un premier temps, Elizabeth Palmer l'a aidée à
fuir vers Kaboul avec son mari et ses deux enfants. Mais les
menaces de mort ont continué de plus belle là-bas.

Le seul moyen de lui sauver la vie était de la faire sortir
d'Afghanistan, finalement. Elizabeth Palmer a fait des pieds et
des mains pour la mettre en lieu sûr, la faire entrer au Canada
avec sa famille. Et elle a réussi.

Pendant féminin du Marlboro Man, peut-être, Elizabeth
Palmer. Mais pas seulement. Mère Teresa est aussi passée par
là. Imagine un mélange des deux.

Imagine maintenant Elizabeth Palmer avec un tricot dans
les mains, sur le terrain. Ce qu'elle fait, quand elle est nerveuse,
stressée : elle sort de son sac une pelote de laine et des broches
à tricoter.

— *Non seulement ça m'occupe les mains et ça me détend,
mais ça inspire confiance aux gens autour de moi : ils se livrent
plus facilement.*

Quoi de moins menaçant qu'une femme qui tricote dans
un pays à feu et à sang? Un homme qui tricote, peut-être?
Elizabeth Palmer pourrait sûrement t'apprendre...

Son mari, Luc, pourrait toujours essayer de m'apprendre
à rester zen quand tu pars à la guerre. J'ai bien peur de ne

jamais parvenir à me faire une raison. Même si c'est ça qui te rend heureux.

Au fait, ça te rend heureux, ou pas, d'aller à la guerre ?

Et la question demeure : tiens-tu à la vie ?

CHAPITRE 9

Comme une cow-girl dorée

— *Je n'ai jamais eu de rêves, j'avais des buts.*

Cette femme est un tonka. Une tigresse, une ogresse. Cette femme est un personnage de roman, un paradoxe sur deux pattes. Elle me dépasse et me bouleverse.

Cette femme, tu la connais. Enfin… tu l'as vue une fois. En 2004. Je voulais absolument te la présenter. Nous avons passé une soirée avec elle. Au restaurant L'Express, à Montréal. C'est là qu'elle nous avait donné rendez-vous.

Tu te souviens? Elle venait de publier un ouvrage sur la montée de la droite religieuse aux États-Unis, un dossier que tu avais toi-même exploré.

Elle n'était pas seule. Un confrère journaliste l'accompagnait. Éric Laurent, auteur et grand reporter pour Radio

France, plus de trente années d'expérience en zone de guerre. Et cynique au possible.

Tous les trois, vous vous en êtes donné à cœur joie, ce soir-là. Ça discutait fort. Du conflit israélo-palestinien, des suites du 11 septembre 2001, de l'Irak… et du métier de reporter de guerre, évidemment.

Je me souviens, j'étais un peu en retrait, je vous observais. Et puis, le ton a monté. Entre elle et toi. Elle avait cet air narquois, t'apostrophait : « Tu crois vraiment que si on réglait le conflit israélo-palestinien, le terrorisme disparaîtrait du jour au lendemain ? *You're kidding !* »

Elle te considérait de haut, te traitait de naïf. Tu es monté sur tes grands chevaux : elle t'avait mal interprété, n'avait rien compris… Enfin, bref. On ne peut pas dire que cette soirée ait été un succès, tout compte fait.

Alors voilà. Je voudrais te montrer qui est vraiment cette femme, te montrer ce qu'elle a dans le ventre… pour autant que je sache. Je voudrais, si possible, créer un pont entre elle et toi, comme on fait une marche pour la paix.

Barbara Victor est née à Montréal, a grandi aux États-Unis, étudié en Suisse, passé plus de dix ans à Paris. Et essaimé aux quatre vents. Au Moyen-Orient, en particulier.

Dans la soixantaine, elle vit à New York, avec son troisième mari. Mais peu importe. Elle a des antennes partout. Elle tient un blogue d'opinion, plume virulente à l'appui, sur les enjeux politiques mondiaux et tout ce qui touche au Moyen-Orient. Auteure de plusieurs biographies et de quelques fictions, elle est aussi essayiste et documentariste.

Elle a en outre signé, en 2002, un livre et un film sur le phénomène croissant des femmes kamikazes. Elle voulait comprendre pourquoi, notamment en Palestine, de plus en plus de femmes commettaient des attentats-suicide.

Elle s'est rendue en Cisjordanie, à Gaza et en Israël, où elle a recueilli des témoignages bouleversants. Comble de l'absurdité, Barbara Victor a constaté que dans une société dominée par la religion, où les femmes sont reléguées au second rang, mourir en martyres, comme les hommes, leur permet d'atteindre à une forme d'égalité.

Mais, d'abord et avant tout, dans une autre vie, Barbara Victor a été reporter de guerre. Au Moyen-Orient. Liban, Syrie, Libye, Israël, Palestine, Iran, Irak : elle a mis les pieds dans toutes sortes de guêpiers, elle aussi. Elle a risqué sa vie plus d'une fois, tu imagines bien.

Entre autres, pendant la première guerre du Golfe. Elle était à Tel-Aviv, les missiles filaient dans le ciel. Elle s'est réfugiée dans la cave de son hôtel, un endroit fermé, au plafond bas. Sous son masque à gaz, elle étouffait.

— *J'entendais les missiles, j'étais terrifiée. J'ai pensé : c'est peut-être la dernière seconde de ma vie. Mais ensuite, j'ai eu honte. Honte d'être soulagée que les missiles ne soient pas tombés sur moi, mais sur les autres.*

Pendant la première guerre au Liban, elle a vu la tête d'un de ses collègues exploser à côté d'elle. Elle a vu toutes sortes d'horreurs au fil des ans : des décapitations, des enfants tués, brûlés, des femmes défigurées, des hommes tirant sur des gens pour rien, gratuitement.

Mais le pire qu'elle ait vu dans sa vie de reporter, c'est le massacre perpétré dans les camps de réfugiés palestiniens de Sabra et Chatila, en 1982. Des hommes, des femmes, des enfants tués par centaines, leurs corps entassés pêle-mêle au milieu des débris.

— *Là je me suis dit : un. Est-ce que Dieu existe ? Deux. S'il y a un Dieu, pourquoi laisse-t-il faire ça ? Et trois. L'inhumanité des hommes contre les autres hommes est un gouffre. Ça a été le début du cynisme pour moi.* Life is bullshit *: c'est devenu ma philosophie désormais !*

Pour elle, comme pour Céline Galipeau, comme pour tous les autres reporters de guerre, je crois, le pire, ce n'est pas les morts, mais les survivants.

— *Les morts, on ne peut rien faire pour eux. Mais les survivants, le mal sera toujours en eux. Je ne peux m'empêcher de penser à tous ceux que j'ai laissés derrière moi, qui souffrent...*

Elle n'a pas oublié cette femme, au lendemain du carnage de Sabra et Chatila, assise par terre, avec son bébé mort dans les bras, qu'elle berçait comme s'il était vivant.

— *Je lui ai posé toutes sortes de questions banales : comment allez-vous ? Comment vous sentez-vous ? Qu'allez-vous faire maintenant ? Et, plus important : comment allez-vous vivre avec le souvenir de toutes ces victimes ?*

Après l'entrevue, la femme avec son bébé mort dans les bras a regardé Barbara Victor dans les yeux et lui a demandé : « Vous êtes américaine ? » Puis, la voix éteinte, elle lui a dit : « Ici, c'est plus égal que chez vous entre les femmes et les hommes. Ici, nous, les femmes, on meurt également, comme les hommes. »

Barbara Victor a couvert quatre guerres au Moyen-Orient. Pour de grandes publications américaines et européennes. Mais d'abord pour la chaîne de télévision CBS.

Ah oui : elle était mère de deux jeunes enfants à cette époque.

Une sorte d'Elizabeth Palmer, si tu veux. Mais avant l'heure. Et privée de son Luc. Sans homme rose à la maison, disons. Sans mari aimant, sans père pour s'occuper de ses enfants.

Barbara Victor était mère célibataire.

— *Je sais ce que c'est que de réagir comme un homme, d'être mère et père à la fois, de gagner de l'argent et de se défendre. La plupart des hommes dont j'ai été amoureuse dans ma vie n'aimaient pas ça.*

Pour elle, c'était l'éternel dilemme.

— *Réussir dans ma carrière voulait dire avoir une vie personnelle horrible. Je ne pouvais pas avoir les deux.*

C'était l'époque… pas si lointaine, où bien des femmes, en Occident, luttaient encore pour sortir de leur cuisine, et où de nombreux métiers étaient une chasse gardée masculine.

C'était l'époque… pas si lointaine, où le journalisme de guerre, pour ne pas dire la guerre tout court, sans parler du terrorisme, étaient presque exclusivement une affaire d'hommes.

Dans les années 1970 et 1980, Barbara Victor faisait figure d'extraterrestre.

— Pendant la première guerre du Liban, j'étais la seule femme journaliste sur le terrain à Beyrouth.

Il ne lui serait jamais venu à l'esprit, au milieu du chaos, de s'occuper les mains avec un tricot !

— J'ai appris très tôt à repérer, dans un groupe, l'homme le plus dur, le plus agressif, le plus menaçant. J'allais le voir et je lui disais : peux-tu me protéger ? J'étais la pauvre petite sans défense.

Ça marchait à tous les coups : Rambo la prenait sous son aile. Barbara Victor fonctionnait dans un monde d'hommes, était plutôt jolie, et en jouait. Elle ne s'en cache pas.

— Je n'ai jamais été féministe au point de ne pas utiliser mes charmes.

Aucun doute là-dessus dans mon esprit.

Je me rappelle la première fois que je l'ai vue, dans un bar de Montréal. Elle vivait à Paris. Auprès de son deuxième mari, un proche conseiller du premier ministre socialiste Lionel Jospin.

Cheveux dorés mi-longs, petit col de fourrure glamour et pull ajusté, elle sirotait un Coca light avec deux pailles, derrière de grosses lunettes fumées. Elle m'a tendu, féline, une main parfaitement manucurée, avant de s'allumer une cigarette extra-longue, extra-fine, drapée dans une aura de mystère.

J'étais estomaquée. Je ne venais pas rencontrer une star, une diva, mais une ex-reporter de guerre.

Pour moi – mais je n'aurais pas su l'expliquer à l'époque –, c'était bel et bien une façon de me rapprocher de toi.

C'était en 2001. En novembre 2001. Tu étais en Afghanistan, ton premier séjour en zone de guerre. Je te voyais mort en rêve toutes les nuits.

En principe, je rencontrais Barbara Victor pour un magazine féminin. Elle était en tournée de promotion, venait de publier une biographie, non autorisée, de… Madonna. Trouvez l'erreur, m'étais-je dit en consultant sa bibliographie, où figuraient des ouvrages sur Hanan Ashrawi et Aung San Suu Kyi.

Pourquoi diable, après avoir écrit sur la porte-parole palestinienne des accords de paix entre Israël et l'OLP, puis sur la résistante birmane prix Nobel de la paix, s'était-elle intéressée tout à coup à la déesse pop du sexe?

C'est la première question que j'ai posée à Barbara Victor ce jour-là. Très simple, m'a-t-elle répondu. À ses yeux, le lien entre ces trois femmes-là allait de soi : elles avaient contribué, chacune à sa façon, à influencer leurs sociétés respectives, dans un domaine où les femmes étaient absentes dans le passé.

Autrement dit, Hanan, une chrétienne dans une société musulmane, avait réussi à changer l'image de l'OLP et, par là, notre perception de ce qu'est une organisation terroriste ; Suu Kyi, elle, avait gagné une élection contre une junte militaire dominée par les hommes ; quant à Madonna, eh bien, en donnant une voix aux femmes des milieux populaires, elle avait contribué à les libérer… en leur montrant que le sexe est aussi l'affaire des femmes.

Je résume, mais c'est à peu près le laïus qu'elle m'a tenu. Là-dessus, elle s'est délestée de ses verres fumés et m'a fait un clin d'œil complice : « Tu as eu combien d'amants dans ta vie ? »

Devant ma surprise, elle a éclaté de rire. Un rire rauque, de gorge. Puis, dans son français sophistiqué, avec son accent américain à couper au couteau, elle m'a raconté la sienne, sa vie.

Elle était fière d'être correspondante au Moyen-Orient, dans le temps. Mais malheureuse comme les pierres, au fond. Elle multipliait les passions amoureuses destructrices. Et les aventures d'un soir, avec le premier venu, juste pour ne pas dormir seule au milieu des bombardements.

Elle se savait mauvaise mère, s'en voulait de ne pas consacrer plus de temps à ses enfants, ballottés entre les États-Unis et le Moyen-Orient. Pour elle, c'était le prix à payer : comment avoir une vraie relation avec ses enfants, et avec un homme, quand on est toujours en mouvement, constamment en situation de danger ? Barbara Victor n'y est jamais parvenue.

Vers l'âge de quarante ans, elle a rencontré le grand amour, comme on dit. Un ex-général israélien, de dix-huit ans son aîné, sur le point d'être embauché comme attaché militaire à l'ambassade d'Israël à Paris. Au même moment, CBS a voulu la rapatrier aux États-Unis. Après quinze années de loyaux services, elle a démissionné et s'est installée à Paris.

C'était en 1985. L'homme, marié, qu'elle convoitait, avec qui elle n'a jamais habité hormis dans ses songes, est mort d'une attaque cardiaque peu de temps après.

Tout en gagnant sa croûte comme pigiste, Barbara Victor se jette alors dans l'écriture. Elle publie, coup sur coup, un essai sur le terrorisme, et un roman, inspiré de son expérience de reporter de guerre, où elle rend hommage, au passage, au grand amour de sa vie… sans dévoiler son nom – après tout, il était marié.

Le roman en question, *Femme sur tous les fronts*, aura un succès retentissant, sera vendu dans vingt-deux pays.

Très tôt, dans l'enfance, Barbara Victor a su ce qu'elle voulait. Elle était curieuse, sans gêne. Osait poser toutes sortes de questions, surtout celles qui ne se posent pas.

À l'école, elle s'intéressait d'abord et avant tout aux conflits internationaux. Il faut dire que son père, né au Canada, mais d'origine juive allemande, avait perdu plusieurs membres de sa famille dans les camps de concentration nazis. Et, du côté de sa mère, née en Russie de parents chrétiens, une partie du clan familial avait été éliminée sous Staline.

Une fois sortie de l'université, Barbara Victor en a bavé, aux États-Unis, pour devenir reporter. Avant d'entrer à CBS, elle a travaillé pour une autre chaîne de télé… où elle était reléguée à servir le café et à taper à la machine les textes de ses collègues masculins.

Peu à peu, elle a pris du galon et, grâce à un reporter expérimenté qui croyait en elle, a appris l'ABC du métier, s'est initiée aux affaires criminelles. Puis, CBS l'a mise en ondes en l'affectant aux dossiers économiques. Elle ne connaissait rien à l'économie, mais les patrons trouvaient qu'elle passait bien à la télé…

Tout en faisant ses preuves à l'écran, et en élevant seule ses jeunes enfants – le père, un journaliste qu'elle n'a jamais épousé, s'était volatilisé –, elle s'est jetée dans les études, a fait une maîtrise en économie et une autre en journalisme.

Elle a mis dix ans, en tout, avant de devenir correspondante au Moyen-Orient. Pour le reste, sur le terrain, elle fonctionnait à l'instinct, n'avait peur de rien. Un cow-boy : c'est ainsi qu'elle se voyait, à l'époque.

Mais un cow-boy aux attraits particuliers… une cow-girl dorée, plutôt. Qui était prête à tout pour arriver à ses fins, confie-t-elle aujourd'hui sans rougir.

— *Je n'ai jamais hésité à utiliser la séduction, toutes sortes de manipulations féminines, pour obtenir ce que je voulais comme journaliste. Je n'ai pas honte de le dire. Ça m'a beaucoup servi. Entre autres avec Kadhafi.*

En 1986, Barbara Victor a réalisé le premier entretien avec le chef de l'État libyen après les bombardements américains sur Tripoli. Ce que bien des journalistes lui enviaient. Le meilleur coup de sa carrière, à dire vrai.

— *Kadhafi était considéré comme le diable en personne.*

Pendant dix jours, il l'a tenue en alerte à Tripoli. Il lui a montré des islamistes pendus sur la place publique, lui a aussi fait voir à quoi ressemblaient les comités révolutionnaires chargés de traquer et de punir les opposants au régime.

Puis, un soir, dans les décombres de sa maison détruite par les bombardements américains qui avaient tué sa propre fille, le colonel a consenti à accorder à Barbara Victor l'entretien tant désiré.

Quand elle s'est levée pour partir, ce soir-là, un des sbires de Kadhafi lui a demandé de signer un texte en arabe. Elle ne comprenait rien à ce qui était écrit, craignait en outre de déclarer sans le savoir qu'elle était une espionne à la solde des Américains. Elle a demandé quelques heures pour réfléchir.

Affolée, elle s'est réfugiée en pleine nuit à l'ambassade de France – pas d'ambassade américaine en Libye, évidemment. On lui a servi un verre de vin, le premier qu'elle prenait depuis des jours, l'alcool étant interdit dans le pays. La tête lui tournait.

Le diplomate français sur place lui a conseillé de ne rien signer, surtout pas. Finalement, Barbara Victor a convaincu le sbire de Kadhafi de la laisser rentrer en France, avec la promesse qu'une fois là-bas, elle enverrait par fax une lettre signée de sa main pour dire que son séjour en Libye s'était très bien passé, qu'on l'avait traitée correctement.

Son entretien, paru dans *U.S. News and World Report*, et les photos, où on la voyait en compagnie de l'ennemi juré de Ronald Reagan, ont fait le tour du monde.

— *En réalité, Kadhafi ne m'a pas dit grand-chose au cours de cette interview. Il traitait Reagan de porc, tenait des propos assez dingues, dans l'ensemble. Mais ce n'était pas ce qu'il disait qui était important : c'était le fait que, pour la première fois, il accepte de parler.*

Il lui avait fallu des mois pour séduire l'ambassadeur libyen à Paris, afin de le convaincre d'intervenir auprès de Kadhafi.

— *Je me serais battue à mort pour avoir cette interview : je n'accepte pas le refus.*

Parmi les autres grandes figures politiques qu'elle a rencontrées au fil des ans : Ariel Sharon.

— *Il aimait beaucoup les femmes... Il m'a donné la permission de suivre l'armée israélienne pendant le conflit avec le Liban.*

Barbara Victor développait aussi ses contacts du côté libanais, histoire de montrer les deux côtés de la médaille. Et elle a interviewé Yasser Arafat quand l'occasion s'est présentée.

Elle n'est jamais allée jusqu'à consentir des faveurs sexuelles pour parvenir à ses fins. Elle insiste. Mais qui sait.

— *Si on m'avait dit que coucher avec un homme était la seule façon d'obtenir une entrevue avec Staline ou Hitler, peut-être que j'aurais accepté !*

Barbara Victor n'a aucun espoir de voir la paix revenir un jour au Moyen-Orient. Elle ne voit aucune issue au conflit israélo-palestinien en particulier.

— *C'est un véritable cauchemar. Il n'existe aucune porte de sortie étant donné à quel point la haine est enracinée dans le cœur, dans l'âme des populations, des deux côtés de la barricade. À partir du moment où les gens sont prêts à mourir pour faire valoir leur point de vue ou pour attirer l'attention sur leur cause, un accord de paix est loin d'être envisageable.*

Un monde sans guerre, elle n'y croit pas. Et ça n'a rien à voir avec le 11 septembre 2001. Elle n'y a jamais cru. Elle n'a jamais cru non plus qu'elle pouvait changer le monde comme journaliste. Informer les gens, honnêtement, leur donner à réfléchir : c'est ce qu'elle visait, tout simplement.

— *Je n'ai jamais eu de rêves, j'avais des buts.*

C'est sans doute la phrase qui lui convient le mieux.

CHAPITRE 10

Tireur d'élite

Lui, tu ne le connais pas, tu ne l'as jamais vu.

Imagine un personnage de film.

Il descend de sa moto, brusque, bourru. Il enlève son casque machinalement, se dirige, hagard, avec près d'une heure de retard, sur la terrasse du café où je l'attends.

Il était en montage, il n'a pas vu le temps passer, il a trimé toute la journée, une partie de la nuit précédente. Et voilà. Il émerge, il est là. Il a la voix rêche, cassée. Il marmonne entre ses dents, la tête rentrée dans les épaules.

Imagine Charlemagne. Le chien qui jouait les malins dans les dessins animés de notre enfance, tu te souviens ?

Il a la mâchoire crispée, les traits tirés. Le teint gris. Nous sommes en fin d'après-midi, un vendredi. À Paris. Son port d'attache quand il n'est pas en cavale.

Imagine un homme marqué. Avec l'abîme au fond des yeux.

J'ai devant moi une légende. Un dur de dur, un vrai, un pur. Un trompe-la-mort, un baroudeur de première. Comme on en voit peu. De moins en moins.

Il a beau dire : « Si j'étais dingue, je serais mort depuis longtemps ! », il traîne une réputation de casse-cou, passe pour être l'un des reporters les plus fous de la planète.

Imagine une sorte de Paul Marchand à la puissance cent. Mais en plus humble. En moins cassant. Qui aurait maté tant bien que mal ses angoisses, ses trous noirs. Avec ce je-ne-sais-quoi de tendre malgré tout, comme un appel, comme un manque.

Il faut que je te dise : cet homme me fait craquer.

À douze ans, déjà, enfant de la balle abandonné par sa mère peu après sa naissance, il défiait la mort. Il se jetait en bas de hautes falaises, se couchait sur les voies ferrées. Pour prouver à son père, grand reporter à l'international pour *Le Figaro*, qu'il était courageux.

Son père, il ne le voyait pas souvent. Il a été élevé par ses grands-parents, a passé la plus grande partie de son adolescence à errer de foyer en foyer. Mais de temps en temps, quand il était invité au repas dominical du paternel, parmi les Joseph Kessel, Lucien Bodard et autres grands reporters de guerre devenus mythiques, il ouvrait grand ses oreilles.

Il voulait être l'un des leurs, il en bavait. Il rêvait d'aventure depuis toujours, carburait aux romans d'Alexandre Dumas, *Les Trois Mousquetaires* et tout ça.

À soixante ans passés, il court toujours.

Il arrive d'Afghanistan. Où il a filmé clandestinement des talibans. Il a passé des heures, des jours, des semaines, terré avec ces guerriers des montagnes. À dormir sur le sol, à vivre comme eux. À les observer et à les faire parler.

Il est parti seul. Incognito. Sans demander la permission à personne. Avec son sac à dos, sa petite caméra, son micro. Sa trousse de secours, sa bouffe militaire, son gilet pare-balles, et *basta*.

Question d'habitude. On ne sait jamais ce qui peut se passer, alors autant voyager léger.

— *Je peux toujours quitter un endroit en moins de deux minutes sans rien laisser derrière.*

Question de stratégie, aussi. Seul, avec un petit sac à dos, on s'intègre mieux.

— *Si vous êtes trois, il faut un véhicule rien que pour l'équipe, vous attirez l'attention, c'est le bordel. Quand vous êtes seul, ça ne change rien à leur routine, vous êtes là, ils commencent à vous parler comme à un psychiatre.*

Patrick Chauvel est réalisateur, mais aussi auteur. Et même... acteur à ses heures : il a joué, entre autres, le rôle d'un reporter de guerre dans un film intitulé *L'Étoile du soldat*. Surtout, il a passé la majeure partie de sa vie à parcourir le monde comme photographe. Photographe de guerre.

— *On est là pour témoigner : sans témoin, il n'y a pas de crime. On est là pour raconter une histoire, pour raconter l'Histoire en train de se faire. On est là pour que personne ne puisse dire : je ne savais pas.*

Nous ne sommes pas responsables de ce qui se passe aujourd'hui en Afghanistan, en Irak, ou ailleurs dans le monde, mais nous sommes responsables de ne pas savoir ce qui s'y passe : c'est sa philosophie.

— *Nous ne sommes jamais à l'abri. J'ai connu Beyrouth à son meilleur, ses boîtes de nuit, sa belle vie... on allait s'y reposer entre deux reportages. Puis, il y a eu la guerre.*

Photographe de guerre, reporter de guerre : même quête, même combat, à ses yeux. Ou presque.

— *Un photographe, c'est comme un tireur d'élite : il a la cible, il attend, et* clac, *il l'atteint.*

Le hic : encore faut-il être assez près de la cible en question.

« Si les photos ne sont pas bonnes, c'est qu'on n'est pas assez près », disait le grand photographe américain d'origine hongroise Robert Capa, qui a couvert cinq guerres. Et qui a perdu la vie à l'âge de quarante ans, en 1954, après avoir marché sur une mine, pendant la guerre d'Indochine.

Pour Patrick Chauvel, qui a fait des photos, au fil des ans, pour *Paris-Match*, *Time*, *Life*, *Newsweek*, et qui a reçu, en 1996, le prestigieux World Press Award, l'équivalent du Nobel pour un photographe, une bonne photo de guerre se résume simplement à ceci : elle saisit l'humanité.

— *Et l'humanité, ça peut être ce qu'il y a de pire...*

Le pire, il l'a vu de près, un nombre incalculable de fois.

Sa première guerre, il l'a couverte en 1967, à dix-sept ans : la guerre des Six Jours, en Israël. Avec, au cou, l'appareil photo fourni par un ami de son père, le photographe de guerre Gilles Caron. Mort quelques années plus tard au Cambodge, disparu sur une route contrôlée par les Khmers rouges.

Patrick Chauvel a raté ses photos cette fois-là, faute d'expertise. Mais ce n'était que partie remise. À dix-neuf ans, il s'est retrouvé au Vietnam, dans les tranchées, avec un commando américain déchaîné, dont les jeunes soldats tombaient comme des mouches.

Et puis, il y a eu l'Irlande, le Mozambique, le Pérou, le Cambodge, l'Angola, le Liban, l'Iran, l'ex-Yougoslavie, la Tchétchénie, l'Afghanistan, l'Irak... Il serait plus simple d'énumérer les pays déchirés par des conflits où il n'a pas mis les pieds.

Le Rwanda, par exemple. Il voulait y aller, pendant le génocide. Les patrons de l'agence photo pour laquelle il travaillait à l'époque, Sygma, ont dit non. Ensuite, après le génocide, ils ont voulu l'envoyer là-bas. Trop tard. Il a refusé d'y aller.

— *Il fallait y aller pendant, au début. Pour essayer de dénoncer, de réveiller les gens. Pour que quelqu'un fasse quelque chose. Mais aller marcher sur les décombres, faire de belles photos avec des montagnes de morts, non. Ça, je ne peux pas.*

Il ajoute, dans un rictus :

— *Je ne suis pas un fossoyeur.*

Bien des photographes qui sont allés au Rwanda après le génocide constater les dégâts, et il en connaît, ont eu du mal à s'en remettre.

— *Parce qu'il n'y avait pas d'énergie dans tout ça.*

L'énergie. Le mouvement, l'action. C'est ce qu'il recherche dans son travail.

— *Moi, je suis dans la guerre. Avec les combattants. Je suis avec les guerriers qui sautent du deuxième étage, qui se battent. Jusqu'où vont-ils aller ? Quelle est leur limite ? Cette espèce de folie qui s'empare d'eux !*

Un guerrier de l'info, Patrick Chauvel. Et ce n'est pas une métaphore. Il lui est arrivé de prendre les armes. Au Vietnam, au Mozambique, au Pérou…

— *Quand on est menacé, on fait quoi ? On se laisse tabasser ou on fonce dans le tas avec tout le monde pour s'en sortir ? Je ne pars pas pour tuer des gens, je pars pour raconter leur histoire. Je ne suis pas armé au départ. Mais si on veut me tuer, et qu'il y a des armes à proximité, je vais me défendre.*

Combien de fois a-t-il vu la mort en face ? À combien de blessures de guerre a-t-il survécu ? La liste est longue, interminable. Un fémur brisé en Irlande du Nord, en 1972. Quatre éclats de mortiers dans le corps au Cambodge, deux ans plus tard. Une balle dans la cheville en Iran, en 1979 : sans nouvelles de lui au milieu du chaos, on annonce sa mort aux infos.

Entre-temps, il a été pris en otage au Liban. Des mercenaires syriens, qui l'accusaient d'être un espion israélien, ont menacé de l'exécuter. Encore là, on le donnera pour mort dans les médias.

En 1991, il fait le voyage, avec des *boat-people* haïtiens, dans une embarcation de fortune, mal équipée, surchargée, jusqu'à Miami. Une traversée cauchemardesque, dont il témoignera plus tard dans son livre *Rapporteur de guerre*.

Entre autres passages éclairants, celui-ci : « Il pleut. La mer est démontée. […] On gîte dangereusement. Cinq personnes écopent en permanence. Je donne mes deux gilets de sauvetage aux deux mamans. Mon sac photo enveloppé dans deux sacs-poubelle, j'attends la catastrophe. »

Il y a quelques années, en Irak, un projectile l'a frôlé à la tempe. Il en porte encore la marque. Peu importe. Le pire moment de tous, il l'a vécu au Panama, lors de l'invasion américaine, en 1989 : deux balles dans le ventre, quatre heures d'attente avant d'être secouru, au bout de son sang.

«Vous êtes vivant, c'est un miracle, restez-le», lui dira le chirurgien qui le sauvera, et l'amputera d'une partie de son intestin.

N'empêche que sur le coup, Patrick Chauvel a vraiment cru que ça y était.

— *Je me suis vu en train de mourir, seul.*

Personne aux alentours. Aucun de signe de vie. Près de lui, un oiseau. C'est tout. Un tout petit oiseau. Qui chantait.

— *Je le regardais, et je me disais : ce salopard d'oiseau, quand je vais mourir, il va continuer à chanter...*

Mais la plupart du temps, la mort, Patrick Chauvel n'y pensait même pas.

— *Vous êtes là, vous n'êtes plus là : la mort, on s'en fout, finalement ! On a beaucoup plus peur d'être blessé, de rester cul-de-jatte, handicapé. Et surtout, d'arriver en retard, de rater la photo. De ne pas être le meilleur.*

Encore aujourd'hui, il n'en démord pas.

— *Je n'hésiterais pas à monter à l'assaut avec des combattants si la photo vaut le coup.*

Prendre ou ne pas prendre de risques ? Fausse question, pour lui. Mourir pour une photo ? Faux débat, à ses yeux.

— *C'est comme si on disait à un coureur automobile : mourir pour une voiture ? Un coureur automobile ne parle pas de sa mort, il parle de sa victoire. Il parle vitesse, négociation de virages. Il parle de ses sensations... mais pas de la mort.*

Autrement dit :

— *On peut être tué en faisant une photo, mais on ne meurt pas pour une photo.*

Des photos, il en fait de moins en moins. Depuis qu'il a été congédié par Sygma, en 1996. L'année même où, ironiquement, il a été couronné par le World Press Award, pour son témoignage sur la guerre en Tchétchénie.

— *Couvrir la guerre, ça coûte cher, et ce n'est pas rentable. Je n'étais pas assez rentable pour l'agence. Le show business rapporte beaucoup plus. Mais moi, je ne sais pas faire ça.*

Bref, après une trentaine d'années dans la photo, Patrick Chauvel s'est tourné vers le documentaire. Le documentaire de guerre. Il en a réalisé une vingtaine.

Il insiste : il a mis de côté la photo, mais il n'a pas abandonné la guerre.

— *C'est ma seule sécurité d'emploi : la guerre, ce n'est pas près de cesser !*

Il rit. Un rire noir, sans espoir.

Barbara Victor n'a pas le monopole du cynisme. Elle n'a pas non plus le monopole de la vie conjugale gâchée. Quand je demande à Patrick Chauvel combien de fois il a été marié, il lève les yeux au ciel, montre quatre doigts.

À la différence de Barbara Victor, pour qui la guerre a cessé d'être une drogue, il vit seul aujourd'hui.

— *J'ai fini par comprendre...*

Il a son rire noir, sans espoir. Plus rauque, encore, plus caustique. Sous cape. À la Charlemagne.

— *Au début, c'est tout nouveau tout beau. Mais très vite, on vous réclame du temps. Et du temps, moi, je n'en ai pas.*

Il passe en moyenne six mois par an à l'étranger. Plus jeune, il lui arrivait d'être plus de trois cents jours par an sur le terrain.

— *On est forcément des menteurs. On dit : je serai là pour la fête de ta mère... Mais trois mois plus tard, elle est toujours sans nouvelles.*

Pas du tout le genre à téléphoner à sa douce chaque soir, pour lui dire tout-va-bien-ma-chérie, Patrick Chauvel.

— *Ça ne sert à rien d'appeler. Pour se faire demander : t'es où ? Tout ce que vous avez envie de répondre c'est : je ne sais pas où je suis, je suis en enfer !*

Pour ce qui est du décalage au retour, quand Ulysse rentre au bercail, le scénario ressemble à ceci dans ses mots à lui :

— *Vous revenez de trois mois en Tchétchénie, et vous retrouvez votre femme, qui est de mauvaise humeur parce qu'elle a une contravention ! Elle a envie de sortir avec vous, parce que vous êtes de nouveau là, tandis que vous, vous n'avez qu'une envie, c'est de dormir parce que vous êtes crevé.*

Ça ne l'a pas empêché d'avoir des enfants. Quatre doigts, encore là. Patrick Chauvel a eu quatre enfants, nés de trois femmes différentes.

— *Moi, je ne suis pas arrivé à faire ce métier-là tout en restant marié et en m'occupant de mes enfants. Ça a toujours posé problème.*

La fissure dans l'armure du guerrier ?

— *Je n'ai pas de regrets. Pas l'ombre d'un regret.*

Il a remis son casque, enfourché sa moto. J'ai vite perdu sa trace dans le soir tombant. Des enfants couraient sur le trottoir en riant, un couple déambulait main dans la main.

J'ai pensé : non, mais, de quoi je me plains… Imagine si l'homme de ma vie, le père de mes enfants, s'appelait Patrick Chauvel.

Chapitre 11

La plume dans la plaie

Imagine Patrick Chauvel… au féminin. Avec vingt ans de moins, un corps svelte, athlétique, un port altier, un teint de pêche, des cheveux courts, noirs, un beau visage. Et un brasier, plutôt que l'abîme, au fond des yeux.

Même jour, un peu plus tôt, sur une autre terrasse parisienne. En plein soleil. C'est comme une apparition, je ne l'ai pas vue venir.

— *Bonjour, je suis Anne Nivat.*

Elle arrive d'Afghanistan, elle était partie seule, elle aussi. Avec son sac à dos. Son calepin, son crayon. Et un appareil photo, une petite caméra vidéo, au cas où : quand l'occasion se présente, elle prend des images, mais c'est d'abord l'écrit qu'elle privilégie.

Elle vient de passer une vingtaine de jours au pays des talibans. Incognito. Vêtue d'une burqa. Logeant ici et là, parmi des familles afghanes. Vivant avec les uns et les autres, les observant, les questionnant.

Tout comme Patrick Chauvel, elle a pris à la lettre l'une des règles d'or de Ryszard Kapuscinski : « Un vrai reporter n'habite pas au Hilton, mais dort là où dorment les héros de ses récits : il mange et boit la même chose qu'eux. » Pour le grand journaliste de guerre polonais, mort en 2007 à l'âge de soixante-quatorze ans, un reportage honnête ne pouvait naître que de cette manière.

Anne Nivat est à l'écrit ce que Patrick Chauvel est à la photo. Une reporter de guerre pure et dure. Sauf que les héros de ses récits ne sont pas des guerriers, ne montent pas à l'assaut : ils sont pris en étau, dans leur maison, dans la rue, ils luttent au quotidien pour leur survie et celle de leurs enfants.

Elle a fait sienne l'approche d'un autre grand journaliste de guerre, français, celui-là : Albert Londres. Qui a couvert jusqu'à sa mort, en 1932, plusieurs conflits. Et qui favorisait le point de vue des laissés-pour-compte, des oubliés. Pour lui, un reporter devait « porter la plume dans la plaie ».

Anne Nivat, c'est exactement ça. Elle porte la plume dans la plaie des oubliés de la guerre. Ceux qui n'ont rien, aucun pouvoir. Ceux qui se font tirer dessus sans même avoir l'occasion de répliquer. Elle porte la plume dans leur plaie pour témoigner de leur histoire, montrer l'autre côté, l'envers de la grande histoire.

Pour moi, comme pour toi et bien des Québécois, des Canadiens, elle a d'abord été une voix. Cette voix grave, presque masculine. Entendue à la radio de Radio-Canada, en direct d'Irak ou d'Afghanistan. Découverte pendant la guerre en Tchétchénie, la deuxième, celle qui a frappé en 1999.

Elle vivait officiellement à Moscou, à l'époque. Plus de quatre-vingts ans après l'arrivée d'Albert Londres dans la Russie bolchevique naissante, où il allait faire des portraits saisissants de Lénine et de Trotski, mais surtout, témoigner des souffrances du peuple russe, Anne Nivat faisait ses débuts comme journaliste, dans une Russie postsoviétique, en pleine crise politique et économique.

Elle avait terminé un postdoctorat en sciences politiques à l'Université Harvard, aux États-Unis. Elle était spécialisée en études russes, elle parlait couramment la langue du pays.

Elle avait baigné dans la culture russe toute son enfance : ses parents, bien que Français, étaient tous deux russophiles. Des dissidents russes se joignaient régulièrement à la famille pour dîner. Son père, Georges Nivat, traducteur et grand spécialiste de littérature russe, a d'ailleurs signé, entre autres ouvrages, une biographie de Soljenitsyne.

Ce n'est donc pas un hasard si elle s'est intéressée d'abord à la Russie, mais c'est par hasard qu'elle s'est retrouvée, à trente ans, en zone de guerre. Ce qu'elle souhaitait d'abord et avant tout : faire le plus de reportages possibles. Elle était pigiste, c'était la débrouille.

La deuxième campagne militaire russe en Tchétchénie a commencé moins d'un an après son arrivée à Moscou.

— *Je ne pouvais pas ne pas y aller.*

Elle est restée neuf mois en Tchétchénie. Neuf mois d'affilée, pendant lesquels elle a couvert la guerre au quotidien.

— *J'ai commencé par la pire des guerres, l'une des plus sales de la fin du XXe siècle. Pour preuve, elle n'a presque pas été couverte : les journalistes n'avaient pas trop envie d'aller y perdre leur âme ou leur vie.*

Elle est alors l'une des rares reporters sur le terrain. Collaboratrice du journal français *Libération*, elle est aussi présente dans les médias au Canada et ailleurs dans le monde. Elle publie de plus en plus dans la presse américaine : *USA Today, New York Times, Washington Post*. Puis, elle est interviewée sur CNN.

— *No CNN, no war ! Je leur ai dit, en direct : vous n'avez pas filmé cette guerre, donc elle n'existe pas pour vous, ni pour le public américain.*

Il fallait qu'elle le dise. Montrer que cette guerre existait, c'est ce qu'elle tentait de faire, jour après jour, au péril de sa vie.

— *Il y avait tous les jours là-bas des gens qui mouraient, des femmes, des enfants, des innocents… C'était un tapis de bombes.*

Les militaires russes bombardaient des villages dans lesquels il n'y avait que des civils. Des villages tchétchènes, où je me trouvais : j'étais du côté de ceux qui recevaient les bombes.

Elle a vécu des heures et des heures de bombardements aériens, se demandant à chaque instant si c'était la fin pour elle et pour ceux qui partageaient ces moments-là avec elle. Elle en a conclu la même chose que ce bon vieux Kapuscinski : les reporters de guerre qui disent qu'ils n'ont pas peur mentent.

— *Ce n'est pas possible de ne pas avoir peur dans la guerre. Ou alors, ça veut dire que le reporter est trop protégé pour sentir cette peur, et donc, il ne fait pas bien son métier. Être reporter de guerre, c'est sentir la guerre. Et la guerre, c'est l'horreur. À la guerre, on meurt.*

Courageuse, Anne Nivat : l'image lui colle à la peau depuis la Tchétchénie.

— *J'en ai marre qu'on dise ça ! J'ai vraiment l'impression de faire tout simplement mon métier. Je marche dans les traces d'Albert Londres, qui représente pour moi le prototype du journalisme classique, à l'ancienne, et dans celles de Kapuscinski : je n'ai rien inventé !*

Dans les médias, elle n'hésite pas à s'en prendre aux décideurs politiques occidentaux, français en particulier, qui tentent de dissuader les journalistes de se rendre en Irak ou en Afghanistan, car c'est trop dangereux.

Chaque fois qu'elle le peut, en entrevue, elle enfonce le clou. «Plusieurs fois j'ai entendu le Quai d'Orsay dire "c'est impossible d'aller en Irak ou en Afghanistan", "c'est impossible de prendre telle route, entre tel endroit et tel endroit". Je les ai démentis à chaque fois ! Ce n'est pas par défi, c'est simplement parce que je sais que c'est faisable. Les millions de gens qui habitent sur place, ils font comment, eux, pour se déplacer d'un point A à un point B ? Ils sont obligés de le faire, ils y habitent. Donc si eux peuvent le faire, moi aussi.»

Si les journalistes refusent d'aller dans les zones de guerre, qui va y aller ? martèle-t-elle sans cesse.

Un jour, en Tchétchénie, après une nuit d'intenses bombardements dans un village en banlieue de Grozny, elle s'est rendu compte, au matin, que la plupart des maisons autour avaient été bombardées, tandis que celle où elle logeait avait été épargnée. Il y avait des morts partout dans le village, y compris des femmes, des enfants, des vieillards.

— *Ce jour-là, j'étais le seul reporter sur place pour en rendre compte.*

Elle s'est fait arrêter par des soldats de l'armée russe, en janvier 2000, alors qu'elle était terrée dans une maison où vivait une famille tchétchène. Ils sont tombés sur elle par hasard en effectuant une perquisition de routine.

— *Ils étaient hallucinés de voir ce qu'ils voyaient, c'est-à-dire une femme étrangère, qui parlait leur langue, en plus, et qui se disait journaliste... Alors évidemment, les Russes, qu'est-ce qu'ils font, quand ils voient un journaliste qui les emmerde : ils l'accusent d'espionnage.*

Dans la foulée, elle a subi un interrogatoire musclé, de plusieurs heures, puis a été ramenée à Moscou. Où elle a été relâchée, avec interdiction de retourner couvrir la guerre en Tchétchénie.

Son épopée en Tchétchénie, Anne Nivat l'a racontée en 2000 dans un livre exemplaire, *Chienne de guerre*, traduit en plusieurs langues et récompensé en France par le prix... Albert-Londres.

Par la suite, elle est retournée fréquemment en Tchétchénie. Et elle a l'intention de continuer à y aller.

— *La Tchétchénie, pour moi, c'est mon pays. Je ne peux pas laisser tomber les gens là-bas.*

Après septembre 2001, elle a aussi commencé à s'intéresser de près à ce qui se passait en Afghanistan et en Irak. En 2003, elle est restée quatre mois d'affilée en Afghanistan. Puis, en 2004, elle a passé les quatre premiers mois de l'année en Irak. Depuis, elle continue de se rendre régulièrement dans ces deux pays.

Sa façon de faire : toujours la même.

— L'immersion dans la société que je tente de comprendre commence d'abord par le temps passé sur place. C'est impossible d'arriver quelque part, de rester trois jours, de brandir son micro, sa caméra, de poser une ou deux questions qui induisent déjà des réponses et de repartir...

Impossible pour elle. Anne Nivat revendique le droit à la lenteur et à la complexité.

Mais impossible aussi de s'intégrer à la population sans faire preuve de discrétion.

— Je suis très, très low profile. *Dès mon deuxième jour en Tchétchénie, je me suis rendu compte que je ne pouvais pas m'habiller en pantalon et en chemise à manches longues, même si pour une femme occidentale c'est la tenue la plus confortable. Il fallait absolument que je ne me fasse pas remarquer, pour avoir la possibilité de voir le plus de choses possible.*

Elle a adopté la tenue des femmes locales : jupe longue qui descend jusqu'aux chevilles, foulard noué sur la tête de façon plus ou moins lâche. Depuis, elle garde précieusement dans sa garde-robe parisienne ses vêtements tchétchènes.

Au fil des ans, elle a aussi fait l'acquisition de burqas, qu'elle enfile dès qu'elle foule le sol afghan, et d'abayas, ces grandes robes noires qui couvrent tout le corps, pour ses séjours en Irak.

Elle a de plus en sa possession des chaussures locales, pour chacune de ses destinations. Très important, les chaussures : on se fait remarquer tout de suite si on n'a pas les bonnes au bon endroit.

C'est loin d'être un détail. C'est une question de survie, pour Anne Nivat.

— Le simple fait d'être reconnue, comme étrangère et comme journaliste, peut mettre ma vie en danger.

Mais il y a plus.

— La discrétion, c'est aussi une question de respect pour la société qui m'accueille. Pour moi, m'habiller comme une femme locale, c'est envoyer le signal que je respecte les traditions en place. Et je dois dire que ça m'ouvre beaucoup de portes... Les gens sont surpris, sur place, très positivement surpris.

Stratégique, Anne Nivat : elle ne s'en cache pas. Le respect inspire la confiance, n'est-ce pas ?

— *Quand on a la confiance, on a déjà fait la moitié, si ce n'est les trois quarts du chemin, pour avoir des réponses à ses questions, qui soient des réponses plus sincères, plus honnêtes, plus détaillées, plus nuancées.*

Ce qu'elle recherche est à mille lieues du scoop et, pour y avoir accès, elle doit savoir se faire oublier.

— *J'essaie de faire en sorte que les gens se parlent entre eux et me parlent à moi pratiquement comme si je n'étais pas là. Je ne veux pas que ma présence induise chez eux un comportement qu'ils penseraient être le comportement à avoir devant une journaliste occidentale.*

Immersion, discrétion, mais aussi indépendance. Fondamentale, pour Anne Nivat, l'indépendance. Pas question de passer par des autorisations quelconques, militaires ou autres. Aucune autorité sur place n'est informée de son arrivée.

Ça ne l'empêche pas, si besoin est pour un reportage, de brandir sa carte de presse et d'interroger l'un ou l'autre des représentants officiels en présence.

Elle connaît la complexité des stratégies militaires mises en place, elle est capable de reconnaître tel tir, telle arme plutôt que telle autre. Mais elle laisse volontiers à d'autres le journalisme dit *embedded*.

Elle a tenté l'expérience une fois, avec l'armée russe, et n'a pas récidivé.

— *Les nations qui ont des soldats sur place, en Irak ou en Afghanistan, ont davantage de couverture médiatique, mais cela ne veut pas dire que cette couverture médiatique apprend davantage aux opinions publiques de ces pays ce qui se passe en réalité sur le terrain.*

L'objectivité journalistique ? Foutaise. Une convention des écoles de journalisme, selon elle.

— *On n'est pas objectif parce qu'on donne le point de vue des hauts gradés militaires dans un paragraphe, puis, dans le paragraphe suivant, celui des civils victimes des bombardements.*

Elle revendique tout autant le droit à la lenteur, à la complexité, que le droit à la subjectivité.

— *Ce sont mes yeux qui voient. Je n'ai pas la prétention de tout voir, je ne peux pas tout voir, mais ce que j'ai vu, je le décris avec minutie, avec détail, avec nuance, avec assez de nuance, je crois, pour que mon lecteur puisse se faire sa propre idée.*

Elle revendique aussi haut et fort son statut de pigiste, de *freelance*, comme elle dit. Un électron libre, à tous points de vue, Anne Nivat.

— *J'organise moi-même mes voyages : ma liberté, c'est de n'appartenir à aucune rédaction, volontairement, pour pouvoir décider moi-même quand je pars, où je vais, pour combien de temps.*

Elle s'entend avec un média – l'hebdo français *Le Point*, par exemple – pour le financement de base, et y publie des reportages en échange. Elle essaie aussi «d'arroser le maximum», comme elle dit, en radio, en télé, en journaux, à l'étranger.

Mais pour elle, tout cela est accessoire, finalement.

— *Ce qui compte, c'est que j'utilise à fond toutes les notes que j'ai prises pour écrire un livre. Je voyage fortement avec l'idée d'un livre, toujours.*

Dans *Bagdad zone rouge*, paru en 2008, son onzième livre, elle évoque les deux séjours prolongés qu'elle a faits l'année précédente dans des familles irakiennes, en milieu non sécurisé, c'est-à-dire en dehors de la zone verte, chasse gardée de l'armée des États-Unis. Elle écrit : «En se prolongeant, la guerre contre la terreur est devenue banale – la pire des éventualités pour un sujet journalistique.»

Elle explique qu'elle est retournée à Bagdad en grande partie pour se battre contre cette banalisation. Et, pas très loin en cela de Patrick Chauvel, pour se battre contre l'indifférence, afin que personne, plus tard, ne prétende qu'il ne savait pas : «Pour qu'on ne soit pas faussement surpris ou indignés lorsque éclatera le prochain attentat, peut-être plus diabolique encore que celui du 11 septembre.»

Il faut que je te dise : Anne Nivat serait capable de me convaincre que le métier de reporter de guerre est le plus beau, le plus digne, le plus grandiose qui soit. Alors qu'il me plaît à moi de penser le contraire, pour canaliser ma peur de te perdre.

Anne Nivat me laisse bouche bée. D'ailleurs, inutile de poser des questions, elle prend constamment les devants, s'allume d'elle-même. Plus je l'écoute, plus je l'observe, sur la terrasse au soleil, plus elle me fascine.

Humanité. Sensibilité. Bravoure, détermination. Convictions profondes, pensée articulée. Autonomie. Et beauté. Elle a tout. La renommée comprise. Elle a aussi le respect, l'admiration de ses pairs.

Roger Auque, Elizabeth Palmer, Céline Galipeau… combien d'autres la citent en exemple. Patrick Chauvel, l'aventurier par excellence, la quintessence de l'héroïsme, le guerrier mal léché : même lui parle d'Anne Nivat comme d'une icône du reportage de guerre.

Et tu sais quoi ? Elle n'a rien de l'hurluberlue sauvage, solitaire, qui ne carbure qu'à sa carrière, qu'à la guerre. Anne Nivat a un mari. Et un fils. Louis. À qui elle a dédié, d'ailleurs, *Bagdad zone rouge*.

« À Louis (qui saura ainsi où je disparaissais pendant sa première année) », précise-t-elle dans sa dédicace.

Né en novembre 2006, le petit jouit à demeure des bons soins d'une nounou, une femme d'origine tchétchène, qui lui parle russe. Il peut aussi compter, quand maman est au loin, sur son papa français.

— *Bien sûr, les départs sont toujours difficiles pour moi depuis que je suis mère, mais je sais que mon fils est entre de bonnes mains.*

Son mari, son deuxième, le père de son enfant, Jean-Jacques Bourdin, est journaliste et animateur radio. Il vit et gagne sa vie à Paris. Ce qui explique que peu après avoir fait sa connaissance, autour d'un micro, en 2004, où le coup de foudre a été réciproque, Anne Nivat a quitté Moscou pour s'installer Paris.

Elle n'avait pas du tout prévu d'avoir un enfant, vu son métier. Elle n'avait pas non plus prévu de rentrer en France.

Rentrer en France ne signifiait absolument rien pour elle : elle avait vécu la plus grande partie de sa vie à l'étranger.

Elle s'était toujours considérée, et se considère toujours, d'ailleurs, comme une nomade. Une nomade de l'info, de la guerre.

— *Mon roc, c'est mon homme !*

Ce n'est pas Patrick Chauvel qui dirait quelque chose du genre… Non, bien sûr que non. Son roc à lui, c'est la guerre, point.

Et toi ?

Chapitre 12

La burqa ou le blindé?

Elle est en vacances, elle arrive d'une balade à bicyclette sous la fine pluie d'été, elle a les cheveux mouillés, elle sourit.

— *Moi, je ne suis pas une vraie reporter de guerre.*

C'est la première chose qu'elle me dit, devant son thé aromatisé, dans un restaurant libanais de Montréal.

Pourtant, Michèle Ouimet est allée au moins cinq fois en Afghanistan, pour des séjours prolongés. Elle a d'ailleurs décroché, en 2008, l'un des plus prestigieux prix du journalisme canadien, le Michener, pour son enquête avec un autre reporter sur le sort des prisonniers afghans, victimes de torture.

Et puis, il y a le Pakistan, refuge des talibans en fuite, des terroristes, des kamikazes, où elle a mis les pieds à plusieurs reprises. «Le pays le plus dangereux au monde», faisait-elle remarquer dans le quotidien montréalais *La Presse*, en février 2008, alors qu'elle couvrait les élections législatives dans un climat de violence, de tension extrême, moins de deux mois après l'assassinat de l'ex-première ministre et chef de l'opposition Benazir Bhutto.

Dès 1992, elle s'est rendue en Algérie. Pendant le coup d'État de l'armée qui visait à empêcher les islamistes du FIS (Front islamique de salut) de prendre le pouvoir. Les journalistes étrangers n'étaient pas admis, elle était entrée comme touriste. Seule. Elle avait réussi à s'immiscer dans une famille algérienne, incognito.

Elle avait trente-sept ans, un mari, une fille de dix ans. Diplômée en histoire, ex-recherchiste, elle travaillait depuis peu comme journaliste pour *La Presse*. Du jour au lendemain, elle s'était retrouvée en plein chaos. Couvre-feu, état d'urgence, blindés dans les rues. Affrontements sanglants à la sortie des mosquées. Arrestations massives, condamnations à mort. Et emprisonnement de journalistes.

Michèle Ouimet a aussi couvert le génocide au Rwanda, en 1994. Elle est arrivée sur place deux semaines après le début des massacres ; les exactions continuaient. Le pays était à feu et à sang, comme on dit quand les mots manquent pour décrire l'horreur.

Quoi d'autre… Le Tchad, en 2004. Elle a visité des camps de réfugiés soudanais, en pleine crise du Darfour. Crise qui avait fait plusieurs milliers de morts, plus d'un million de réfugiés, déjà.

Et puis le Liban. En 2006. Michèle Ouimet a couvert cette guerre au quotidien, de ville en village, sous la menace des bombes. Tout comme Sara Daniel.

Il y avait Raymond Saint-Pierre, aussi, de Radio-Canada, qui était là, pour la télé. Je me souviens de lui, de sa face de lune avec ses lunettes rondes, de sa consternation, au milieu des débris.

Je me souviens des images terribles, à la télé. Visages ahuris, corps volant en éclats, rues éventrées, immeubles effondrés. C'était une vraie boucherie, c'était le chaos.

Je me souviens de toi. De nous. À mille lieues de là, à l'abri. Dans la douceur du soleil couchant, au bord du fleuve. Tu étais en vacances, j'étais sur le qui-vive.

Je craignais à tout moment qu'on t'appelle pour te demander d'aller là-bas, couvrir le conflit pour la radio. « S'ils ont besoin de moi, j'irai. » C'est ce que tu m'avais dit.

Je me souviens, je lisais avec nervosité les articles de Michèle Ouimet, t'imaginant à sa place. Le 10 août 2006, elle écrivait dans *La Presse* : « Le cœur de Tyr, épargné jusqu'à présent, sera peut-être envahi par les soldats israéliens. La guerre, la vraie, avec ses morts et ses canons, sont aux portes de la ville. Et moi, je suis coincée dans cette ville, au milieu de cette guerre. »

Ses reportages au Liban lui ont valu, encore là, un prix de journalisme, pour avoir « fait vivre intensément au lecteur ce qu'elle a vu et vécu en l'amenant au cœur du drame de la population libanaise ».

Pas une vraie reporter de guerre, Michèle Ouimet ?

Qu'est-ce qu'il faut de plus ? Monter à l'assaut avec les guerriers ? S'engouffrer dans un char avec des soldats qui tirent sur l'ennemi ?

Le 30 décembre 2009, un blindé de l'armée canadienne roule sur une mine lors d'une patrouille de routine dans le sud de l'Afghanistan, près de Kandahar. Quatre soldats y laissent leur peau. De même qu'une journaliste.

Michelle Lang, trente-quatre ans, première journaliste canadienne tuée en Afghanistan depuis que le Canada y a déployé ses troupes en 2002, en était à son premier séjour là-bas. Elle travaillait pour le quotidien albertain *Calgary Herald*, où elle était affectée au dossier… santé.

Sa mère l'avait priée de ne pas accepter cette affectation dangereuse en Afghanistan. Son frère a avoué ensuite, lors de ses funérailles, qu'il se sentait coupable de ne pas avoir tenté de la dissuader d'y aller. Elle était fiancée, devait se marier à l'été.

Le meilleur reportage vaut-il la mort d'un journaliste ? Il faudrait demander à sa mère, à son frère, à son fiancé.

En avril 2009, Michelle Lang a reçu, à titre posthume, le prix de la Liberté de la presse. Qu'est-ce que ça change, pour elle, maintenant?

À la remise du prix, le président du Comité canadien pour la Liberté de la presse mondiale a déclaré : «Son courage et son sacrifice sont une source d'inspiration pour nous tous.» Vraiment?

Dans les jours qui ont suivi la mort de Michelle Lang, une de ses compatriotes journalistes écrivait dans un quotidien montréalais : «L'armée, les blindés : non merci. Je n'ai pas le courage des soldats. Ni celui de Michelle Lang.»

Le nom de cette journaliste : Michèle Ouimet.

Elle confiait : «Quand je me promène en Afghanistan, je porte la burqa. Je déteste ça. Le grillage bouge, je ne vois pas grand-chose, ma vue est obstruée. Mais je préfère ma burqa aux blindés. Une prison qui en vaut une autre.»

Le 9 janvier 2010, un blindé de l'armée américaine frappe une mine artisanale dans le sud-ouest de l'Afghanistan, près de la ville de Nawa. Un soldat meurt lors de l'explosion. De même qu'un journaliste : le vingtième à perdre la vie dans ce pays depuis septembre 2001, le premier d'origine britannique.

Rupert Hamer, trente-neuf ans, père de trois enfants, en était à son cinquième séjour là-bas. Correspondant de l'hebdomadaire anglais *Sunday Mirror* pour les questions de défense, il avait aussi couvert la guerre en Irak, arpenté le Proche-Orient, l'Afghanistan. On ne peut pas dire qu'il était inexpérimenté, inconscient des risques encourus.

Ces deux morts, à dix jours d'intervalle, ont frappé la communauté internationale. La mort d'un journaliste a toujours plus d'impact dans les médias que la mort d'un soldat, n'est-ce pas?

Comme chaque fois qu'un journaliste meurt en couvrant la guerre depuis septembre 2001, les mêmes questions ont refait surface : doit-on continuer d'envoyer des journalistes sur le terrain malgré le danger? Et peut-on couvrir une guerre, comme reporter, sans sortir avec l'armée?

Être ou ne pas être *embedded* : en Afghanistan, mais aussi en Irak ou ailleurs, tous les journalistes qui couvrent la guerre sont confrontés à ce choix à un moment ou l'autre.

La question qui tue : est-ce que je monte dans le blindé ou pas ?

Toi-même, tu l'as fait. Florence Aubenas l'a fait. Sara Daniel aussi. Elizabeth Palmer, Barbara Victor. Et, bien sûr, Patrick Chauvel. Même Anne Nivat l'a fait.

Peu de temps après la mort de Rupert Hamer, un de ses compatriotes journalistes affirmait dans un quotidien londonien : « Je crois qu'empêcher les reporters d'être avec les militaires serait une victoire pour les talibans. »

Reporter de guerre, soldat, même combat ? Même idéal : combattre l'ennemi, le mal ? Quitte à devenir un outil de propagande militaire ? Qu'est-ce qu'un vrai reporter de guerre, quel est son rôle, finalement ?

Et qu'est-ce qui est pire : prendre le risque de mourir dans une explosion avec des soldats, ou risquer d'être démasqué en pleine rue et pris en otage par des talibans parce qu'on est journaliste et étranger ?

Il faudrait demander à la journaliste du réseau anglais de Radio-Canada Melissa Fung, enlevée au retour d'une visite dans un camp de réfugiés en banlieue de Kaboul, le 12 octobre 2008.

Détenue dans une cave étroite, à peine plus grande qu'un placard, dans la région de Wardak, un bastion taliban, elle a eu les mains et les pieds attachés, les yeux bandés. Mais elle n'a pas été victime de violence.

Quand elle est sortie de sa cave, après vingt-huit jours de captivité, Melissa Fung a révélé qu'elle avait été libérée en échange de prisonniers afghans.

Ce qui a fait dire à Michèle Ouimet dans *La Presse* : « Le but était noble : sauver la vie de la journaliste. Mais les effets pervers risquent d'être importants. Les talibans vont vite comprendre que le Canada est prêt à tout pour faire libérer ses ressortissants. »

Les journalistes sont devenus une monnaie d'échange, ils n'ont plus aucune immunité sur le terrain. *Embedded* ou pas, depuis septembre 2001, ils sont associés d'emblée aux couleurs de leur pays, à l'ennemi.

Michèle Ouimet a beau dire qu'elle n'a pas le courage des soldats, ni celui de Michelle Lang, elle fait elle aussi partie des journalistes qui ont tenté l'expérience du blindé. Elle a accompagné des soldats canadiens sur la route près de Kandahar, en février 2007. Relatant son expérience après coup, elle notait : « J'avais l'impression de rouler dans un cercueil. »

Elle était convaincue qu'elle devait voyager au moins une fois avec les soldats. Pour comprendre. « C'est probablement ce que Michelle Lang s'est dit », écrivait-elle au lendemain de la mort de la journaliste du *Calgary Herald*.

Michèle Ouimet ajoutait : « Elle n'a pas été chanceuse. Moi si. »

La chance, la fameuse chance. Le fameux billet gagnant à la loterie, évoqué par le journaliste Patrice Roy, qui s'est sorti indemne, en août 2007, d'une explosion semblable à celle qui a tué Michelle Lang.

Après l'épopée de Patrice Roy et de son caméraman amputé d'une jambe, les Forces canadiennes ont demandé aux journalistes de porter, comme les soldats, une plaque d'identité en tout temps, au cas où ils seraient blessés ou tués.

Au lendemain de l'incident, Michèle Ouimet indiquait : « Rouler avec l'armée canadienne en Afghanistan, c'est comme jouer à la loterie : il y a une chance sur mille (ou sur cent ?) que le véhicule saute sur une bombe. »

Mais ce n'est pas seulement parce qu'elle déteste jouer à la loterie que Michèle Ouimet privilégie la burqa plutôt que le blindé. Comme pour Anne Nivat, c'est une question d'approche. « Car même s'il y a la guerre, la vie continue », précisait la journaliste de *La Presse* dans l'article qu'elle a publié au lendemain de la mort de Michelle Lang.

Ainsi : « Tous les matins, les hommes ouvrent leurs échoppes et vendent du tissu, de la viande ou du pain. Les gens se marient, les enfants vont à l'école. La vie, quoi. La vie qui est plus forte que la guerre. J'aime raconter la vie. La vie dans un pays en guerre. De toute façon, je ne connais rien à la guerre et aux stratégies militaires. »

Nous y voilà. C'est la deuxième chose qu'elle me dit, Michèle Ouimet, devant son thé aromatisé, dans ce restaurant libanais de Montréal :

— *Tout ce qui concerne les histoires militaires, tout le côté technique, stratégique de la guerre, qui a avancé, qui a reculé, ça m'ennuie pour mourir.*

C'est l'une des raisons pour lesquelles elle ne se considère pas comme une vraie reporter de guerre. Mais ce n'est pas la principale.

— *Moi, j'ai peur.*

Je pense à Anne Nivat : « Ce n'est pas possible de ne pas avoir peur dans la guerre. Ou alors, ça veut dire que le reporter est trop protégé… »

Je pense à Kapuscinski, encore : « Dans une zone dangereuse, tu as tout le temps peur. Si un jour, en plein climat de violence, tu te sens tout à fait à l'aise, comme chez toi, sans ressentir le moindre petit pincement, il faut tout de suite changer de métier. C'est quand on commence à se croire invincible qu'on est vraiment en danger. »

Le grand reporter polonais disait aussi : « Celui qui prétend ne pas avoir peur ment. Tous les gens ont peur, même s'ils ne le montrent pas. La différence, c'est que certains parviennent à dominer la peur et à fonctionner normalement tandis que d'autres n'en sont pas capables. »

La peur, c'est le pain quotidien de Michèle Ouimet, lorsqu'elle s'aventure dans une zone à risque. Peur des bombes, des attentats, des enlèvements, bien sûr. Mais pas seulement.

La peur de sa vie, elle l'a eue lors de son premier séjour en Afghanistan. En 1996, peu après l'arrivée au pouvoir des talibans.

— J'avais peu d'expérience. Les talibans me surveillaient constamment. J'étais dépassée, j'avais tout le temps peur. Peur d'être dénoncée ou jetée en prison, peur de parler à des Afghans qui se feraient ensuite arrêter pour avoir osé donner une entrevue à une étrangère, peur de rater mon coup et de ne rien publier de valable. En 1996, j'ai passé deux semaines en Afghanistan, une à Kaboul et une à Kandahar : j'ai été crispée par la peur pendant les deux semaines.

Mais ce qu'il y a de pire, pire que la peur, pour Michèle Ouimet, c'est l'odeur de la mort. Comme au Rwanda. Après s'être rendue, en avril 1994, à Rukara, un petit village décimé par le génocide, elle écrivait :

« Horrible. Des cadavres partout, dans un état de putréfaction avancé. Ils sont là depuis trois semaines : des hommes, des femmes et des enfants, empilés les uns sur les autres et à qui il manque un bras ou une jambe. Il y a des mouches partout et elles s'agglutinent sur les corps défigurés. Mais le pire, c'est l'odeur. L'odeur de la mort qui pourrit depuis trois semaines et qui donne envie de vomir. »

Sur le coup, elle était très calme, prenait des notes. Puis, une fois repartie dans la jeep avec les deux soldats tutsis qui l'avaient conduite jusque-là, elle s'est mise à trembler. Elle tremblait de partout, ne pouvait plus s'arrêter de trembler. Il lui a fallu une bonne semaine avant de pouvoir écrire son article.

De retour à Montréal, choc post-traumatique : symptômes physiques, glande hypophyse déréglée.

— *J'ai été malade pendant un an, j'ai dû prendre des médicaments.*

L'odeur de la mort, Michèle Ouimet y a été confrontée ensuite en Haïti. En 2010. Après le tremblement de terre qui a tué plus de deux cent mille personnes.

— *Je me suis retrouvée devant des centaines de cadavres en décomposition. Mais contrairement à ceux du Rwanda, où j'ai été traumatisée par la sauvagerie inimaginable des massacres, ces cadavres-là n'avaient pas été dépecés par la folie des hommes, par le génocide, par la guerre.*

Pas de guerre, donc, pas de peur non plus. Pas de massacres, pas de tireurs embusqués, pas de bombes, pas d'enlèvements, pas de blindés qui explosent ni de burqas, en Haïti.

— Ma sécurité physique était assurée. Je n'avais rien à craindre. Rien à voir avec l'Afghanistan ou le Liban, où j'étais toujours dans un état second, transie par la peur.

La peur comme mode de vie, de survie. Sous la burqa ou dans le blindé.

Rien à voir avec les risques de se faire frapper en traversant la rue ou en roulant à bicyclette à Paris, à Londres ou à Montréal.

Ne me dis plus jamais ça, je t'en prie.

CHAPITRE 13

Les non-reporters de guerre

Il est tranchant, iconoclaste, controversé. Il est le chroniqueur vedette de *La Presse*, le journaliste d'opinion le plus lu au Québec.

— *Vous faites erreur sur la personne : je ne suis pas du tout reporter de guerre.*

Pierre Foglia est encore plus catégorique que Michèle Ouimet. La guerre, il n'en a rien à faire. Même s'il lui est arrivé de la couvrir. À plusieurs reprises.

La première fois, c'était au Liban. Alors que tous les jours, aux nouvelles, il était question d'attentats à la voiture piégée, de bombardements. Et d'enlèvements. C'était en 1987, peu après l'enlèvement de Roger Auque.

— *C'est tout à fait par hasard que je me suis retrouvé là.*

Il avait quarante-six ans, venait de rencontrer un jeune journaliste de passage à Montréal, qui était avec Roger Auque au moment de son enlèvement et couvrait le conflit comme pigiste : Paul Marchand.

Il avait trouvé le type « insupportable, toton, fasciste » (ce sont ses mots). Il l'avait dit à son patron de l'époque à *La Presse*, Michel Roy. Après quoi son supérieur lui avait lancé, comme ça, comme un défi : « Pourquoi tu n'y vas pas, toi, au Liban ? »

Voilà pour le contexte. Pour le reste :

— *J'avais bien plus peur avant d'arriver qu'une fois là-bas : j'ai réalisé à quel point mes peurs étaient exagérées par rapport à la réalité. Et la même histoire s'est répétée par la suite.*

Pierre Foglia était en Jordanie pendant la deuxième guerre du Golfe, en 1991. Le 20 janvier de cette année-là, il notait dans *La Presse* : « Paraît que je suis assis sur un baril de poudre. Comme d'ailleurs les quatre cents journalistes occidentaux et tous les autres étrangers actuellement à Amman. Paraît que ça peut exploser, en deux secondes. »

Il était au Kosovo au printemps 1999, en même temps que Céline Galipeau. En même temps que Paul Marchand. Peu de temps avant toi.

Il était en Afghanistan en octobre 2001, en même temps que Céline Galipeau, Michel Cormier, Sara Daniel. En même temps que toi.

Il avait d'ailleurs une longueur d'avance sur vous tous, à ce moment-là : il était déjà allé en Afghanistan. Deux fois. Avant même l'arrivée des talibans au pouvoir. Du temps de la guerre avec les Russes.

Pierre Foglia a aussi exploré la Syrie, Israël, l'Iran. Et l'Irak. Plusieurs fois.

— *J'ai toujours eu très peur avant de partir, en particulier pour l'Irak, mais quand tu es là pour vrai, que tu vois autour de toi des gens ordinaires, dans le quotidien, tu ne peux pas te mettre à « freaker », pas à côté de quelqu'un qui revient du marché avec des poireaux dans son sac.*

Il était à Bagdad à la fin de l'année 2003, quelques semaines après la capture de Saddam Hussein. Mais la veille du Jour de l'An, quand un restaurant fréquenté par des Occidentaux, le

Nabil, a été pulvérisé par un véhicule piégé à un kilomètre de son lit, il n'a rien vu.

Dans l'article qu'il a publié par la suite, l'envoyé très spécial de *La Presse*, vivant en couple depuis de nombreuses années et père de deux grands enfants, écrivait ceci : « J'ai su que, chez moi, des parents et des amis s'étaient inquiétés. Réglons cela. À Bagdad, le danger est plus grand de se faire tuer dans un accident de la circulation, complètement démente, que de se trouver par malchance sur le lieu d'une explosion ou de ramasser une balle perdue. On ne se tire pas dessus à tous les coins de rue, comme les médias finissent par en donner l'impression en ne signalant que les attentats. »

Donner un autre son de cloche. Le sien. Où qu'il soit. Sortir du moule. C'est la marque de commerce de Pierre Foglia. C'est justement pour ça que ses patrons l'envoient en reportage, que ce soit pour couvrir l'élection de Barack Obama aux États-Unis, le Tour de France, les Jeux olympiques en Chine... ou la guerre en Afghanistan.

Un exemple parmi d'autres, en Afghanistan, justement : « Le commandant Karim fait bravement face à nos micros et à nos caméras. On pourrait même penser qu'il ne déteste pas. Le traducteur de la journaliste du *Los Angeles Times* porte un t-shirt Gucci. Une autre a posé son sac devant elle, un sac de chez Marks & Spencer. Une journaliste d'une radio londonienne déploie son antenne-satellite, voilà, le commandant Karim peut maintenant se gratter les couilles en direct. »

C'était en octobre 2001.

« La scène est fantastiquement surréaliste. Je vous ai dit qu'on était en plein désert, un désert de poussière, ondulé à l'infini de dunes d'argile, creusé de crevasses, paraît-il le lit d'anciennes rivières asséchées. Le ciel n'est pas bleu, il est blanc. Chauffé à blanc. Il doit faire près de 50. Comme je ne suis pas plus doué que vous en géographie, je suis arrivé ici avec ma tuque, mes mitaines et des sous-vêtements longs. J'ai chaud. »

Tandis que je me mordais les sangs pour toi, là-bas, Foglia le fou du roi avait réussi à me faire rire. Quand même.

Mais toutes ses chroniques ne sont pas de cette eau-là. Parfois, il fait le grincheux, son style est rugueux. Parfois encore, le ton grave l'emporte, il sort sa plume de pamphlétaire, d'éveilleur de conscience.

À la fin de 2006, alors qu'une journaliste de Radio-Canada, qui allait finir par devenir ministre, avait outrepassé son sacro-saint devoir de réserve pour faire l'éloge, dans une lettre ouverte aux médias, des soldats canadiens envoyés en Afghanistan, Foglia a sauté sur l'occasion. Il est sorti de ses gonds.

Quel était le bien-fondé de la mission canadienne en Afghanistan au juste ? demandait-il dans sa chronique. « J'étais, il y a peu, au pays des Balouches et des Pachtounes à la frontière de l'Iran, du Pakistan et de l'Afghanistan. Un autre monde, d'autres murs, des gens intimement convaincus de la bonne morale et du bon droit des talibans, de notre point de vue une société médiévale. Mais au nom de quoi, au nom de quelle morale universelle (et décrétée universelle par qui ?) devrait-on aller plaquer nos droits, nos murs sur cette société-là ? »

Il posait la question : « Pourquoi est-on en Afghanistan ? Parce que le droit des femmes ? Parce que l'horrible burqa ? Parce que les talibans ? Pas une crisse de seconde. »

Et il donnait la réponse : « On est en Afghanistan parce que le 11 septembre 2001. » Puis, il enfonçait le clou : « Bref, le devoir d'ingérence, c'est quand on est attaqué. Quand ils ne nous attaquent pas, quand on ne les connaît même pas, qu'ils crèvent. »

Depuis plus de trente ans, il cultive dans ses chroniques l'art de surprendre, de choquer, de provoquer. Atypique en tout, Foglia. À l'image de son parcours.

Ancien typographe, né en France de parents italiens, issu de la pauvreté, du *lumpenproletariat*, comme il aime à le répéter, débarqué au Québec dans les années 1960 « par hasard », devenu journaliste « par accident », il se donne tous les droits, même celui d'insulter ses lecteurs. Et son journal lui laisse pleine liberté.

Il chronique sur tout et sur rien. Sur la littérature, la musique, les fleurs, sur la confiture de mirabelle. Il parle aussi bien de sa «fiancée» que de ses chats ou de son obsession de mourir d'un cancer du côlon.

Ce qu'il préfère par-dessus tout : parler du quotidien.

— *J'aime parler des choses normales, ordinaires. Même dans la guerre. Raconter l'exceptionnel, ça m'emmerde. L'exceptionnel est bien vite beaucoup moins riche que le quotidien.*

C'est une question d'écriture, pour lui.

— *L'exceptionnel, il y a seulement une façon de le raconter : des points d'exclamation, l'essoufflement au bout de deux phrases, c'est grave, c'est triste, badaboum, ça tombe, etc.*

J'ai l'impression en l'écoutant de le réentendre dans une salle de classe à l'Université du Québec à Montréal, il y a près de trente ans. Mêmes lunettes rondes qu'à l'époque, d'ailleurs, même façon de regarder par-dessus, de toiser l'autre sans gêne, de le scruter, question de savoir à qui il a affaire et si son message passe.

Il donnait un cours en écriture journalistique et, malgré ses dehors revêches, je buvais ses paroles. Simplicité, qu'il disait, pas d'enflure, tout est dans le petit détail. Il disait aussi que nous devions nous approprier les événements, avec nos yeux à nous.

Aujourd'hui, il dit que des morts victimes de la guerre, il en a peu vu de ses yeux vu. Sinon au Kosovo, dans des camps de réfugiés. Et qu'au Kosovo, justement, c'est avant tout par les survivants qu'il a été happé.

Comme il l'écrivait dans *La Presse* le 30 mars 1999 : «Ce sont les mêmes victimes au Kosovo aujourd'hui qu'en Irak ou en Bosnie : le peuple en otage. Les femmes et les enfants jetés sur les routes. L'angoisse, la détresse.»

Il dit que voir quelqu'un mourir devant lui dans la guerre, ça lui est arrivé une fois, une seule, et qu'il n'était même pas journaliste à l'époque.

— *J'étais soldat. Pendant la guerre d'Algérie. J'étais en train de taper des rapports pour un colonel à la caserne quand j'ai vu une jeune fille tomber avec la corde à linge où elle étendait des draps. Elle venait de se faire tirer dessus. Je ne l'ai jamais oubliée.*

Les tranchées, il n'y a jamais mis les pieds. Devoir se pousser, se baisser, courir dans la guerre, il n'a jamais fait ça, comme reporter. C'est ce qu'il dit.

Il ajoute que les seules fois où il a eu peur, mais vraiment peur pour sa vie, ce n'était même pas dans des pays en guerre.

Ça lui est arrivé deux fois. La première au Mexique, à la frontière texane. Au milieu des années 1980. Il préparait un reportage sur les *wetback*, ces Mexicains tentant d'entrer illégalement aux États-Unis par le Rio Grande grâce à des passeurs arnaqueurs.

Puis, il est tombé « par hasard » sur un couple de jeunes journalistes. Tous deux enquêtaient sur une obscure histoire de drogue, il était curieux, il s'est joint à eux. Jusqu'à ce que quelqu'un vienne le menacer de mort à son hôtel.

Deux ou trois jours plus tard, il était rentré au Québec, il s'affairait dans la salle de rédaction de *La Presse*, quand il a appris que les deux jeunes journalistes avec qui il avait travaillé avaient été tués.

— *Quelqu'un m'a apporté la dépêche, une toute petite dépêche de rien du tout. Tout le monde s'en foutait. Moi, j'étais abasourdi.*

L'autre fois, c'était en Colombie. En 1989. Ça brassait, quand même : les narcotrafiquants du Cartel de Medellin semaient la terreur dans le pays. Dans l'un de ses reportages, intitulé « Le décalage horreur », Foglia racontait une scène pour le moins évocatrice :

« Ce matin-là, ça faisait quatre jours que j'étais à Bogota, j'ai appelé ma fiancée à Saint-Armand…

— T'as une drôle de voix, fiancée, on dirait que tu vas pleurer…

— Qu'est-ce tu penses, je suis inquiète. Je viens d'entendre la fille de Radio-Canada à Bogota : deux bombes, onze assassinats, un journaliste dans le coma, une juge tuée, un député enlevé, une voiture piégée, et quoi encore, juste pour la nuit…

— C'est drôle…

— Tu trouves ça drôle ?

— C'est le décalage horreur. Toi, à Saint-Armand, tu freakes. Moi, à Bogota, je prends mon café tranquillement avec... avec la fille de Radio-Canada. »

N'empêche que quelques jours plus tard, tandis qu'il était à Medellin, seul, attablé dans un restaurant, il s'est fait chasser de l'endroit brusquement.

— *Parce que j'étais étranger et que ça paraissait que j'étais journaliste...*

Une fois à son hôtel, il a compris que c'était sérieux.

— *J'étais trop curieux, je posais trop de questions. On est venu me menacer de mort physiquement. Là, je me suis poussé.*

Morale de l'histoire : le danger n'est pas toujours là où on l'attend. Pas nécessairement dans les pays officiellement en guerre, en tout cas. Foglia n'est pas le seul à en témoigner.

Raymond Saint-Pierre, par exemple. Qui, depuis plus de trente ans, a mis les pieds dans toutes sortes de zones hostiles. À commencer par le Cambodge sous les Khmers rouges, l'Angola ravagé par les mines antipersonnel, l'Algérie en pleine guerre civile.

Il est ensuite allé au Moyen-Orient pendant la guerre du Golfe, il était au Kosovo en 1999, comme Foglia. Et, comme Michèle Ouimet, il a couvert le génocide au Rwanda, la deuxième guerre du Liban. Avant de se retrouver en Afghanistan.

Là-bas, en décembre 2007, quatre mois après Patrice Roy, il s'est fait secouer pendant des heures dans un véhicule militaire canadien, qui, soudainement, a roulé sur un engin explosif. On connaît la chanson. Raymond Saint-Pierre a gagné à la loterie, ce jour-là : pas l'ombre d'une égratignure.

Mais un jour, à Paris... C'était en 1992. Il était correspondant pour la télé de Radio-Canada, il couvrait une manifestation près de la gare Montparnasse.

— *Il y avait des casseurs, à la queue de la manif, qui saccageaient des boutiques. Nous sommes allés les filmer. Ils n'ont pas apprécié et nous ont poursuivis.*

Les casseurs ont foncé sur lui.

— *Ils m'ont attaqué. Ils m'ont ouvert le cuir chevelu à quelques endroits, avec un poing américain et une matraque. J'ai réussi à me traîner dans l'entrée d'un immeuble, à la dernière minute. Mais ils essayaient de défoncer la porte pour m'achever.*

Il a fini par être secouru, on l'a conduit à l'hôpital.

— *On ne s'attend pas à risquer sa vie en allant couvrir une manif, pourtant...*

Dans son cas, il y avait la particularité du reportage télé, aussi.

— *Pour capter l'image, il faut être dans l'action, ou juste à côté, ou en face, en tout cas, il faut être tout près.*

Pas de différence en cela avec le reportage photo. Comme disait Robert Capa: «Si les photos ne sont pas bonnes, c'est qu'on n'est pas assez près.»

Que Raymond Saint-Pierre soit à Paris, au Liban ou en Afghanistan, c'est le même journalisme partout, à ses yeux.

— *Il faut témoigner, dire ce qu'on a vu. Le ouï-dire n'a pas sa place en journalisme. Il faut être là où ça se passe. Sauf que des fois, nous avons besoin d'un gilet pare-balles, d'un casque, de verres anti-éclat, de vêtements spéciaux.*

Être là à tout prix, au plus près des combats, avec l'attirail de guerre sur le dos, c'est ce que Pierre Foglia ne fait pas, justement. Sa façon de pratiquer son métier exclut la confrontation à tout prix avec le sang qui coule, les corps démembrés.

— *Pourquoi j'irais là où la mitraille se déchaîne? Pour raconter la balle qui rentre dans le bras?*

Décoller de l'événement, de la nouvelle, c'est sa spécialité. Encore plus marginal qu'Anne Nivat, dans un sens, Pierre Foglia. Mais j'ai rencontré quelqu'un qui est encore plus en marge que lui, figure-toi.

Lieve Joris. Une Belge flamande qui vit à Amsterdam depuis des lunes, avec son homme, dans une petite maison à étages aux larges fenêtres surplombant un canal. Quand elle n'erre pas aux quatre vents. C'est-à-dire au moins six mois par année.

Elle a commencé dans le grand reportage pour les magazines. Pour un magazine en particulier: l'hebdo néerlandais

Haagse Post. C'était à la fin des années 1970, début des années 1980. Le genre de destination qu'elle privilégiait : Europe de l'Est, Liban, Israël, Égypte, Arabie Saoudite... Pas des endroits de tout repos, quoi.

Après quelques années, besoin de liberté, la pige a pris le dessus. Puis, elle a fini par abandonner le journalisme pour se consacrer entièrement à l'écriture de livres. Des récits de voyages. Mais très particuliers. Où elle s'immisce, s'immerge complètement dans un milieu, qu'elle décrit de l'intérieur, au quotidien.

Elle ne se reconnaît pas, ne se reconnaît plus dans le journalisme comme tel, encore moins dans le journalisme de guerre. Elle conserve une approche de grand reporter, néanmoins :

— *J'écris des histoires que je ne peux pas inventer à partir de chez moi. Il y a des nuances qu'on ne peut pas connaître si on ne s'imprègne pas des réalités sur place.*

Lieve Joris se définit comme une écrivaine du réel – «*non-fiction writer*», disent les Américains.

— *Je trouve que la réalité a une beauté particulière.*

Ce qu'elle a retenu de ses études à l'école de journalisme d'Utrecht, aux Pays-Bas, après un séjour de deux ans aux États-Unis ? La façon de faire des Américains Norman Mailer et Truman Capote, journalistes devenus écrivains.

— *Ils s'emparaient d'un sujet, l'exploraient de fond en comble, et le restituaient dans une écriture littéraire.*

Sa stratégie sur le terrain : se faire oublier dans le milieu qu'elle tente de déchiffrer. Comme Anne Nivat. Avec qui elle partage une grande admiration pour Kapuscinski. Pour lui, «un reporter démasqué n'a aucune chance d'écrire un bon reportage».

— *Quand on me pose des questions, je dis que je suis sociologue, ou anthropologue... n'importe quoi, sauf journaliste.*

Son grand luxe : le temps. Plus encore qu'Anne Nivat. Lieve Joris met plusieurs années à faire le tour du jardin avant d'écrire un livre. Elle a fait sienne l'approche d'un autre journaliste devenu écrivain, V. S. Naipaul, qu'elle a d'ailleurs rencontré sur son île natale de Trinidad, bien avant qu'il obtienne le prix Nobel de littérature.

«Indépendamment du but initial, affirme Naipaul, nous aboutissons toujours à une autre arrivée, imprévue.» Lieve Joris a retenu la leçon.

En 1985, elle est partie au Congo (alors le Zaïre), sur les traces de son oncle missionnaire.

— *Là, tout un monde s'est ouvert devant moi.*

Elle y est restée six mois. S'interrogeant constamment sur le passé colonial de son pays d'origine, tentant de retrouver, au Congo même, la Belgique qu'elle avait quittée à dix-neuf ans.

Deux mois après son retour à Amsterdam, elle est retournée au Congo pour un autre séjour, encore plus long. Et ainsi de suite.

À la longue, elle s'est fait de nombreux amis congolais, dont elle a partagé le quotidien. Elle a fini par écrire un livre sur son périple, *Mon oncle du Congo*, dont le premier chapitre est d'abord paru en feuilleton dans les journaux.

Aux lendemains de la guerre du Golfe de 1991, elle s'est installée à demeure chez une jeune femme arabe et sa fille, à Damas, en Syrie. Dans *Les Portes de Damas*, elle raconte leur quotidien.

Elle raconte comment se débrouillent cette mère et son enfant, privées de mari, de père : l'homme de la maison est emprisonné depuis onze ans pour appartenance au Parti communiste. En toile de fond, dans *Les Portes de Damas* : la vie dans une dictature arabe. À l'avant-plan : les êtres humains.

Puis, en 1997, elle repart pour le Congo. Où elle ne cessera de se rendre. Où elle écrira en outre *Danse du Léopard*, en référence à l'ancien dictateur Mobutu. Un livre qui donne la parole aux Africains et raconte ses mésaventures à elle parmi eux, dont une traversée périlleuse sur un bateau de réfugiés hutus surchargé.

Juste après la chute de Mobutu et l'arrivée au pouvoir de Kabila, Lieve Joris atterrit à Kisangani, au Congo, à bord d'un petit avion brinquebalant qui menace de s'écraser. Elle passe onze mois dans cette ville.

Elle y est toujours quand éclate, en 1998, une guerre terrible, que l'on désignera ensuite comme la «première guerre africaine», qui gagnera les pays limitrophes et fera des millions de victimes.

Kisangani est en état de siège, la famille de Lieve Joris en Belgique s'inquiète. Les derniers avions de «Blancs» quittent le Congo, sans elle.

Au téléphone, alors qu'elle n'a presque plus de batterie sur son cellulaire et que l'électricité vacillante risque de manquer pour de bon, son vieux papa l'engueule : «Comment, tu es encore là ? Tout le monde est parti !»

Elle réplique : «Mais comment je suis la dernière à quitter le pays ? Il y a des millions de Congolais ici !»

Bien sûr, malgré son désir de se noyer dans la masse, Lieve Joris, avec sa peau de lait, n'est jamais passée inaperçue au Congo. Mais, dans son français à l'accent chantant, à l'africaine, elle soutient :

— *Même si les Congolais te voient blanche, quand tu partages leur sort, surtout en situation de danger, ils vont t'aider dans les moments difficiles. Et si tu es avec des gens courageux, tu prends courage toi aussi.*

Au pire des affrontements à Kisangani, elle faisait comme la plupart des Congolais, elle se terrait. Elle n'était pas dans la rue, non, contrairement aux journalistes qui couvraient les événements.

— *Ce n'est pas une question de courage. Mais les morts, les combats, ce n'est pas mon histoire. Mon histoire à moi, c'est la vie, les gens.*

Pierre Foglia ne dit pas autre chose, lui non plus :

— *Jouer au cow-boy dans la guerre, c'est antinomique avec moi, avec ma conception de l'information. Et ça n'a rien à voir avec la question d'avoir peur ou pas.*

De toute façon, comme dirait V. S. Naipaul : «Les événements sèchent vite», n'est-ce pas ?

Quand a eu lieu le dernier attentat en Afghanistan, dis-moi ? Combien de morts, déjà ?

Chapitre 14

Changer le monde

«Il vaut mieux montrer la mort à travers la vie...» C'est ce que disait Kapuscinski.

Les gens derrière les événements. Les personnes d'abord. Les survivants plutôt que les morts. La vie. La vie qui bat, qui continue. Plus forte que la mort, que la guerre, plus forte que tout. D'accord.

Je suis d'accord. Mais les journalistes comme les écrivains peuvent bien privilégier la fibre humaine dans la guerre, ça change quoi, finalement? Ça n'empêche pas la guerre.

Ça n'empêche pas la mort qui frappe, en masse. Les déplacements de population, les stigmates indélébiles. Le désir de vengeance. La haine, la violence qui se perpétuent.

Témoigner, pour quoi faire au juste? Est-ce vraiment suffisant? Et est-ce seulement possible, pour les journalistes, les écrivains, de demeurer simples observateurs dans la guerre?

Qui peut rester en tout temps retranché derrière un carnet de notes, un micro, une caméra, sans risquer de perdre de vue sa propre humanité ?

Comment oublier cette photo, « Vautour guettant une petite fille en train de mourir de faim » ? Et comment oublier que son auteur s'est suicidé ?

Un jour, dans une librairie, à Montréal, le reporter de guerre américain David Rieff a dit quelque chose qui m'est resté en travers de la gorge. Quelque chose que je comprends avec ma tête, mais que j'ai toujours refusé dans mes tripes.

Même si je sais que nous sommes tous des êtres multiples, divisés, que nous sommes tous habités par des pulsions contraires. Même si je sais, comme dit Rimbaud, que « *je* est un autre ».

J'interviewais David Rieff en public, tu étais dans la salle, pleine à craquer.

Il a dit :

— *Quand on fait ce travail, il faut se séparer de soi-même.*

C'était une telle évidence, pour lui. Ça m'a confirmé ce que je savais déjà, d'une certaine façon : je ne pourrais jamais, je ne voudrais jamais devenir reporter de guerre.

David Rieff a couvert Sarajevo, s'est frotté au Rwanda, à l'Irak, à l'Afghanistan... Il fait partie des vieux routiers de la guerre. Sa particularité : il s'intéresse d'abord et avant tout aux urgences humanitaires.

Il a d'ailleurs publié plusieurs ouvrages sur le sujet. Où il se montre très critique face au rôle des organisations internationales, des associations humanitaires de toutes sortes, en zone de conflit.

Certains se contentent de rapporter les faits, d'autres de les commenter de loin ; lui, il est à la fois journaliste de terrain et analyste. Il pose un regard politique et philosophique sur la guerre, soulève des questions d'ordre moral, éthique.

Des questions graves. Du genre : à quel moment la communauté internationale et les organisations humanitaires doivent-elles intervenir dans un conflit ? Comment ? Pourquoi ?

Au nom de quoi, de quelles valeurs ? Et qui, au juste, doit en décider ?

Mais ce jour-là, David Rieff n'était pas là pour parler de son métier, de la guerre, de l'humanitaire, du droit d'ingérence ou pas.

En principe, il était invité dans cette librairie montréalaise pour s'exprimer sur tout autre chose. Avec sa drôle de barbichette et son complet à la coupe impeccable assorti de bottes de cow-boy véritables, il était là pour parler d'un sujet beaucoup plus personnel, intime.

Il venait de publier *Mort d'une inconsolée*, où il racontait les derniers mois de la vie de sa mère. Susan Sontag. Morte le 28 décembre 2004, à l'âge de soixante et onze ans, des suites d'une leucémie, après s'être désespérément accrochée à la vie.

Ce qui explique que la librairie était bondée, ce jour-là. Un monstre sacré, Susan Sontag. Dans le monde de la littérature autant que dans le monde des idées. Auteure célèbre, intellectuelle de gauche, féministe et francophile.

Susan Sontag : symbole de militantisme, d'engagement. Farouche opposante à la guerre du Vietnam dans sa jeunesse. Et farouche opposante à la guerre en Irak au crépuscule de sa vie. Tout comme son fils.

Ce fils unique. Né alors qu'elle n'avait pas vingt ans, qu'elle était mariée à un universitaire de deux fois son âge, dont elle allait s'empresser de divorcer avant de devenir la compagne de vie de la photographe Annie Leibovitz.

— *Mon père était un homme de droite, hyperconservateur, je me sentais beaucoup plus proche de ma mère... même si notre relation n'a pas toujours été facile.*

Cette confidence, elle tomberait quelques mois plus tard, autour d'un vieux scotch s'étirant jusqu'aux petites heures, à New York, dans son appartement-capharnaüm jonché d'œuvres d'art et de livres pêle-mêle.

Tout comme la confidence suivante, quelques heures plus tard, suivie d'un grand rire :

— *J'ai été kidnappé par la guerre en Bosnie.*

David Rieff ne se destinait absolument pas à devenir reporter de guerre. Éduqué au Lycée français de New York, *drop-out* à l'adolescence, il a frayé un temps à Mexico avec l'auteur d'*Une société sans école*, Ivan Illich. Il a travaillé comme chauffeur de taxi, fait trente-six métiers, avant d'aboutir à Princeton University, d'où il est ressorti diplômé en lettres, à vingt-six ans.

Il œuvre ensuite comme éditeur, auprès de Philip Roth, Marguerite Yourcenar, Carlos Fuentes et autres grands noms de la littérature mondiale. Il rêve lui-même d'écrire. Mais difficile de s'affirmer comme écrivain quand on a une mère qui s'appelle Susan Sontag.

Il s'y met finalement à l'âge de trente-trois ans. Mais en s'inspirant d'écrivains-voyageurs qui posent un regard politique sur le monde, tel V. S. Naipaul. Il écrit alors des livres sur l'immigration, le sort des réfugiés, à Miami, à Los Angeles.

En 1992, il s'installe à Berlin. Avec l'idée de faire un livre sur le même modèle : parler du flux migratoire. Mais en Europe. Il rencontre des policiers à la frontière allemande, interroge des immigrés clandestins, des réfugiés.

Puis, un soir, en rentrant dans son appartement berlinois, il tombe à la télé sur les images de Sarajevo assaillie, bombardée, en feu.

David Rieff n'a jamais écrit son livre sur l'immigration en Europe. Il a mis le cap sur Sarajevo. Où il a fait ses débuts comme reporter de guerre, pour le *New York Times*.

Mais il ne s'est pas contenté de témoigner. Joignant sa voix à ceux et celles qui en appelaient à une intervention internationale, il s'est mouillé jusqu'au cou. Avec le soutien de… Susan Sontag.

— *Ma mère est venue présenter à Sarajevo une production de la pièce* En attendant Godot, *de Beckett, qu'elle avait montée et pour laquelle elle avait écrit un très beau texte. C'était brillant :* En attendant Godot, *c'était en attendant l'intervention…*

David Rieff est resté trois ans à Sarajevo, au péril de sa vie. Un jour, alors qu'il était à bord d'un petit avion, quelqu'un, du côté serbe, a tiré sur l'appareil. Un militaire français a été touché, il hurlait comme un fou, il y avait du sang partout.

— *Nous étions une douzaine de personnes dans l'avion, militaires, travailleurs humanitaires, journalistes, et nous avions tous très peur. J'avais le sentiment de devenir hystérique. Je me suis dit : un jour, tu vas crever de toute façon, alors si tu meurs aujourd'hui, ça va. Ça m'a calmé. C'était ça, ou je changeais de métier.*

Accepter les risques du métier est une chose. Rester insensible devant le sort des victimes innocentes de la guerre en est une autre. L'expérience la plus marquante vécue par David Rieff demeure la vision de corps massacrés dans les camps de réfugiés rwandais au Congo.

— *C'était la confrontation au mal absolu. Il y avait de quoi briser votre confiance dans l'humanité.*

Il en est venu à se demander quelles leçons on pouvait tirer de la guerre en Bosnie, du génocide au Rwanda. Pour lui, cela montrait l'échec des organismes internationaux comme l'ONU, mais aussi de la Croix-Rouge et de toutes ces organisations d'aide humanitaire censées intervenir en cas d'urgence : pas assez d'efficacité sur le terrain, trop de beaux principes, d'idéalisme.

Tout cela n'a fait que renforcer son pessimisme à lui.

— *Devant la catastrophe de la guerre en Irak, ma mère disait : J'aimerais bien vivre assez longtemps pour voir comment ça va devenir encore plus stupide. Je pense comme elle…*

Sa mère. Ce jour-là, dans la librairie, David Rieff a confié qu'au départ, il n'avait pas du tout eu l'idée d'écrire sur elle, sur sa mort. Il a dit qu'il n'avait pris aucune note, d'ailleurs, durant sa maladie, son agonie.

— *Prendre des notes, c'est une façon de se créer un abri contre la réalité, de se protéger quand on est hors combat. C'est une façon de se séparer de l'événement, de soi-même. Cela m'aurait paru comme une forme de lâcheté.*

C'est à ce moment qu'il a parlé de son métier.

— *Me séparer de moi-même, de l'événement, c'est ce que je fais tout le temps, sur le terrain. Quand j'étais à Goma après le génocide rwandais, que les gens crevaient par centaines, sous nos yeux, toutes les heures, j'ai compris que si on ne met pas un peu d'espace entre ce que nous voyons, les faits, la réalité, et nous-mêmes, on devient fou très rapidement.*

Il a ajouté :

— *C'est pourquoi les journalistes de guerre deviennent très rusés dans leurs tactiques sur le terrain.*

Les tactiques journalistiques. Elles ne règlent pas tout. Les faits, la réalité, les événements laissent leur empreinte, n'est-ce pas ?

Je repense à Michèle Ouimet, dans le petit village de Rukara, au Rwanda, en avril 1994. Prenant des notes, très calme, devant les montagnes de cadavres. Puis, de retour à Montréal, choc post-traumatique.

Je repense à Patrick Chauvel, qui disait qu'il avait refusé d'aller au Rwanda après le génocide, parce que c'était trop tard, qu'il n'était pas un fossoyeur, qu'il n'y avait pas « d'énergie dans tout ça ».

Parmi les journalistes qui étaient au Rwanda avant la fin du génocide, il y a François Bugingo. Devenu par la suite vice-président de Reporters sans frontières Monde, fondateur de la branche canadienne de cette association qui défend la liberté de la presse à l'échelle de la planète.

François Bugingo, né au Zaïre (actuellement République démocratique du Congo) de parents rwandais tutsis en exil, avait tout juste vingt ans, à l'époque.

— *Le conflit au Rwanda a été fondateur pour moi : je n'étais pas seulement un témoin distancié.*

Il raconte qu'il a vu sur place sa grand-mère paternelle assassinée, les mains coupées. Et sa cousine Diana au bout de son sang, le crâne traversé d'une lance.

Il raconte qu'il avait débarqué au Rwanda environ un mois après le début des massacres, comme journaliste pigiste. Qu'il accompagnait un reporter de Radio France Internationale, mort depuis, Jean Hélène.

Il raconte que dans le sud du pays, peu après leur arrivée, ils sont tombés, Jean Hélène et lui, sur une église où on avait tué des milliers de personnes. Et que là, au milieu des cadavres, il a aperçu une petite fille.

Elle était sur le corps sans vie de sa mère. Elle avait une trace de machette sur la nuque. Mais elle était vivante. Elle s'est agrippée à lui.

— *Je l'ai prise dans mes bras. Elle est devenue ma fille, mon enfant, ma petite Clémentine. Je l'ai adoptée.*

Sans aller jusque-là, bien des journalistes ont accompli des actes, dans le cadre de leurs fonctions, qui ont permis de sauver des vies. Florence Aubenas, tu te souviens?

C'était au Rwanda, encore une fois. Cette mère, qui lui a dit, alors que les réfugiés affamés, épuisés, tombaient comme des mouches sur les routes: «Prenez mon fils, il va mourir.» Florence Aubenas a pris six enfants, ce jour-là, dans sa voiture, pour les conduire à l'abri.

Il y a Elizabeth Palmer, aussi. Qui a sauvé cette femme menacée de mort à cause de son activisme féministe en Afghanistan, Faranaz Nazir, maintenant installée au Canada avec sa famille.

Michèle Ouimet, de son côté, m'a raconté comment, au Liban, pendant l'été 2006, elle a franchi la ligne rouge entre journalisme et aide humanitaire.

Elle s'était rendue avec d'autres journalistes étrangers dans un petit village à deux kilomètres de la frontière israélienne, complètement détruit par les bombardements. Aïtaroum. Où même les associations humanitaires refusaient de s'aventurer: ça continuait de tirer sur la route pour y accéder.

Les villageois qui avaient survécu, et qui n'avaient pas pu fuir, des femmes, des enfants, des vieillards, pour la plupart, n'avaient reçu aucun secours depuis plus de deux semaines. Quand ils ont vu les journalistes débarquer, ils ont cru qu'on venait pour les sauver.

— *Instinctivement, nous sommes allés vers eux. On ne pouvait pas ne pas les aider. On a fait monter tous les gens qu'on pouvait, une soixantaine de personnes. Il y en avait partout, jusque dans les coffres des voitures. Mais il en restait plus d'une centaine, encore, dans le village.*

Les journalistes ont conduit les rescapés jusque dans un hôpital, à trente kilomètres de là. Quand Michèle Ouimet est tombée sur des travailleurs de la Croix-Rouge, elle les a semoncés, hors de ses gonds. Elle leur a dit que si des journalistes, dans des autos déglinguées, mal équipés, avaient été capables de se rendre à Aïtaroum et de porter secours aux villageois en danger, eux aussi le pouvaient.

L'histoire ne dit pas ce que les travailleurs de la Croix-Rouge ont décidé de faire par la suite. Michèle Ouimet, elle, a continué son chemin, carnet de notes à la main. Elle est retombée dans ses souliers de journaliste.

La définition des rôles sur le terrain, à savoir qui fait quoi et quand, ne va pas toujours de soi. Comment refuser de porter assistance à une personne en danger sous prétexte qu'on n'est là que pour témoigner ?

Comme l'indique l'écrivain et ex-journaliste Dany Laferrière dans son livre *Tout bouge autour de moi*, paru peu après le tremblement de terre de janvier 2010 en Haïti : « Quand on voit quelqu'un en train de se noyer, on n'a pas à attendre que son frère vienne le tirer de là. On peut plonger. »

J'ajouterais ceci : journaliste ou pas. On peut plonger, quand on voit quelqu'un en train de se noyer, journaliste ou pas. N'est-ce pas ?

Mais le rôle des travailleurs humanitaires sur le terrain n'est pas toujours très clair non plus.

Ce qui fait dire à quelqu'un comme Rony Brauman, ex-président de Médecins sans frontières, directeur de recherche pour cet organisme à Paris :

— *L'action humanitaire est une politique du moindre mal. C'est sa force et sa limite.*

Rony Brauman a accompli plusieurs missions sur le terrain comme médecin humanitaire. En Asie, en Afrique, en Amérique centrale, en Afghanistan, en Irak... Il était à Sarajevo, en même temps que David Rieff. Et il condamne, lui aussi, ce qu'il appelle «les dérives de l'humanitaire».

Pour lui, les associations humanitaires ne peuvent pas, et ne doivent pas, devenir des acteurs dans les conflits. Des acteurs dans le sens de défendre un point de vue, de prendre parti pour un côté ou l'autre, même au nom de la défense des droits de l'homme, de la démocratie.

Il n'a pas toujours pensé ainsi.

— *À Sarajevo, j'étais dans une approche militante du conflit. J'étais avec ceux qui dénonçaient les faux-semblants humanitaires, l'aide humanitaire comme substitut aux véritables solidarités politiques. Avec David Rieff, je faisais partie des activistes qui appelaient à une intervention pour briser le siège de Sarajevo, pour arrêter « la purification ethnique », comme nous disions.*

Mais peu à peu, comme David Rieff, devenu son ami, Rony Brauman s'est rangé du côté des non-interventionnistes.

— *Je pense vraiment qu'en intervenant militairement, généralement, on fait plus de mal que de bien.*

Quant aux travailleurs humanitaires, s'ils vont dans les zones de conflit, c'est d'abord et avant tout pour soigner les blessés, c'est là leur rôle premier. C'est ainsi que Rony Brauman voit les choses aujourd'hui.

— *Changer le monde, venir à bout de la violence, mettre fin à la guerre, ce n'est pas le rôle des travailleurs humanitaires. Pas plus que ce n'est le rôle des journalistes qui, d'ailleurs, sont là pour témoigner, raconter ce qu'ils voient. Les journalistes et les humanitaires qui ont l'ambition de changer le monde, ils doivent changer de métier.*

David Rieff est sur la même longueur d'ondes. Lui aussi en est venu à se dire qu'il fallait séparer l'humanitaire et le politique, l'humanitaire et le militaire.

— *En tant que citoyen, tu as le droit de prendre parti, d'être pro-ceci ou pro-cela, mais en tant qu'humanitaire, ce n'est pas ton boulot. Si tu veux faire de la politique, tu sors de l'humanitaire.*

Travailler à changer le monde, réclamer plus de justice, de meilleures politiques, ce n'est pas le rôle de l'humanitaire, pour lui non plus. Même si cette optique paraît plus alléchante, David Rieff en convient.

— *Il est certes plus humain de penser qu'on peut vraiment changer les choses, arrêter la guerre, mais cela ne devrait pas être la raison d'être de l'humanitaire.*

Pas plus que cela ne devrait être la raison d'être du journalisme, selon lui.

— *Il y a deux sortes de journalistes de guerre : les très optimistes et les très pessimistes. Les très optimistes finissent par devenir très pessimistes, ou alors, ils changent de métier.*

Le seul journaliste de guerre vraiment optimiste que j'aie rencontré s'appelle Reza. En fait, il est photographe. Photographe de guerre. Depuis plus de trente ans. Et il est impliqué dans l'humanitaire, à sa façon.

Il était à Sarajevo, lui aussi, pendant la guerre. Et il était au Rwanda, avant, pendant, après le génocide. Il a couvert l'Afghanistan, s'y est rendu plusieurs fois, avant et après septembre 2001 : le commandant Massoud, chef de l'Alliance du Nord opposée au régime taliban, assassiné juste avant l'effondrement des tours à New York, était l'un de ses amis.

Reza, né en Iran, emprisonné et torturé pendant les dernières années de pouvoir du Shah, exilé à Paris depuis des décennies, a couvert de multiples guerres, partout sur la planète. Pour *Newsweek*, *Time Magazine*, *Life*, *National Geographic*.

Une bonne photo de guerre pour lui ?

— *C'est une photo qui rentre dans le cœur de celui qui la regarde.*

Les images les plus difficiles que ce père de famille ait prises dans sa vie ne sont pas des scènes de violence, de tuerie. Ce sont, la plupart du temps, des clichés qui montrent des enfants.

— *Les enfants sont les vraies victimes de la guerre. Après, ce sont les femmes. Après, c'est le reste de la population. La guerre ne se passe plus dans les tranchées aujourd'hui, et ce sont les enfants qui en souffrent le plus. Ils ne comprennent pas ce qui se passe, pourquoi il y a des bombardements, des cris, des gens qui meurent autour d'eux. Et cette incompréhension amène bien souvent un traumatisme qui va durer toute la vie. C'est comme ça que le cycle de la violence continue ; ces enfants n'auront qu'une idée en grandissant : se venger.*

Un jour, pendant la guerre à Sarajevo, il a photographié une petite fille qui vendait ses poupées dans la rue. Dans son livre de photos intitulé *30 ans de reportage*, il explique :

« Je me suis senti profondément démuni, face à cette injustice de l'humanité qui contraignait une fillette à vendre ce qu'elle avait de plus précieux, les compagnons de son enfance. C'était dans Sarajevo assiégée que je l'ai vue lutter en silence. »

Combien de fois Reza a-t-il versé des larmes tout en prenant ses photos...

— *Au moins une fois sur deux.*

L'émotion, il ne s'en coupe pas, au contraire. Elle ne l'empêche pas de faire son travail, plaide-t-il, elle le nourrit.

Comme Patrick Chauvel, il est toujours à l'affût, se voit comme un chasseur, un tireur. Ses photos, il les prend sur le vif, sans mise en scène aucune.

— *Il n'y a rien de plus fort que la réalité. Même Spielberg ne pourra jamais, avec tous les trucs d'Hollywood, décrire une seule scène qui sera aussi bonne, aussi forte que la réalité.*

Photographier les cadavres dans la guerre ne présente aucun intérêt pour lui, pas plus que pour Patrick Chauvel. Même s'il l'a fait, au besoin.

— *Sitôt que je peux, c'est vers les survivants que je me tourne. Parce que la vraie horreur de la guerre, c'est dans leurs yeux, dans leur visage à eux qu'on la voit.*

Ce n'est pas vers les guerriers qu'il se tourne, contrairement à Patrick Chauvel. Pour que l'on prenne conscience de l'absurdité de la guerre, il faut montrer la détresse du survivant, selon Reza.

— *C'est ma façon à moi de défendre la vie. Et quand vous défendez la vie, vous défendez la paix.*

Comme le disait Kapuscinski : « Oui, j'écris sur la guerre, et je rêve à la paix. »

Mais voilà. Rêver à la paix en photographiant la guerre, Reza a fini par trouver que ce n'était pas assez.

Être un témoin de l'histoire, raconter l'humanité, donner une voix à ceux qui n'en ont pas, par ses photos, ça ne lui suffisait plus.

En 2001, au lendemain de la chute des talibans, il a fondé une ONG, appelée AINA. Afin de mettre sur pied des médias indépendants dans les pays touchés par la guerre. Il a commencé en Afghanistan.

— *Nous avons lancé une radio et un journal indépendants, où les journalistes sont Afghans. Et parce que ces médias sont indépendants, il y a une liberté de parole possible. Cette radio et ce journal interviennent directement dans la vie quotidienne des Afghans. Ils touchent les femmes confinées dans leur cuisine qui craignent de sortir dans la rue sans leur burqa, et les petites filles qui craignent d'aller à l'école, parce qu'elles sont menacées par les talibans.*

Reza a pris exemple sur les équipes de psychothérapeutes qu'on envoie sur les lieux des tragédies, des tueries collectives, en Occident, pour aider les survivants à passer au travers.

Les médias indépendants créés par AINA jouent en quelque sorte le même rôle, à ses yeux. Un rôle thérapeutique. Mais à la différence des spécialistes de l'aide internationale dépêchés dans les zones de conflit partout sur la planète, ceux qui œuvrent pour AINA ne sont pas parachutés de l'étranger avec leurs valeurs, leur vision, ils sont du pays, vivent la même réalité, partagent le même passé, le même avenir.

C'est un pari qu'il fait. C'est le sien.

Sa fondation, il la voit comme une continuité de son travail de photographe.

— *Pendant des années, j'ai pu observer que la destruction dans la guerre n'était pas seulement matérielle. Qu'elle était tout aussi bien, sinon plus, invisible. Je parle de la destruction de l'âme. Cette âme blessée, qu'il faut toute une vie pour réparer.*

Cette âme blessée, il tente de la reconstruire, avec sa fondation. Petit à petit.

Idéaliste, Reza?

Certainement trop optimiste aux yeux de David Rieff. Et des autres. De Barbara Victor, par exemple. Qui n'a jamais cru à un monde sans guerre, à la paix, et qui le dit. Qui dit: «Je n'ai jamais eu de rêves, j'avais des buts.»

Reza, lui, a toujours eu des rêves. Ça ne l'empêche pas d'avoir des buts. Il ne fait pas que rêver. La paix, il y croit vraiment. Et il la prépare. Du moins, il en est convaincu.

Qu'en penses-tu?

Peut-on changer le monde?

Les journalistes peuvent-ils changer le monde?

Sinon, à quoi bon témoigner?

À quoi bon se séparer de soi-même?

À quoi bon risquer sa vie, si c'est pour laisser la guerre, la mort, triompher?

CHAPITRE 15

Veuve de guerre

Le meilleur reportage vaut-il la mort d'un journaliste?

— *Il n'y a pas de réponse.*

C'est la réponse de Mariane Pearl.

— *À chaque journaliste de se poser la question, et d'y répondre. Pour lui-même. Et par honnêteté vis-à-vis de son conjoint, s'il est marié. Ainsi, vous savez avec qui vous êtes marié. Ensuite, c'est à vous de faire un choix.*

Sa voix est douce, posée. Sereine, je dirais.

— *Moi, j'ai respecté le choix de Dany.*

Je sens de la compassion chez cette femme qui pratique le bouddhisme depuis vingt-cinq ans.

— *Contrairement à vous, moi, j'étais avec Dany presque tout le temps. J'ai beaucoup voyagé avec lui. Même si parfois on partait chacun de notre côté pour faire des reportages, on partageait nos impressions. On était deux à mesurer nos impressions, à mesurer le danger.*

Elle a de la compassion pour moi ? Alors que toi, tu es vivant ?

— *Je l'aurais très mal vécu si j'étais restée à la maison. On est là, dans le confort, coincée à la maison, on reçoit des images négatives… C'est l'imagination au pouvoir. Tandis que sur le terrain, on a des relations avec le type qui vend les oranges, on a des échanges humains : ça temporise. C'est moins effrayant quand on est dedans que lorsqu'on attend.*

Plusieurs années se sont écoulées depuis l'assassinat de son mari par des terroristes islamistes à Karachi. La veuve de Daniel Pearl vit à Paris, avec son fils, leur fils, Adam. Il a sept ans, déjà. Nous sommes en juin 2009.

Paris, c'est la ville où a grandi Mariane Van Neyenhoff, née en 1967 d'un père néerlandais et d'une mère cubaine métissée de chinois. C'est la ville où elle a connu Daniel Pearl, en 1998, lors d'une fête cubaine organisée par sa mère.

Un an plus tard, Mariane et Daniel Pearl proclamaient dans leur contrat de mariage : « Nous nous promettons de découvrir ensemble de nouvelles choses, de nouveaux lieux et de nouvelles personnes… »

En 2000, le couple part à Bombay, en Inde, où le journaliste américain est envoyé par le *Wall Street Journal* comme correspondant pour l'Asie du Sud-Est. Sa femme travaille comme pigiste pour les médias français.

Le 12 septembre 2001, ils débarquent tous les deux au Pakistan, où viendront bientôt se réfugier des milliers de combattants talibans et d'Al-Qaïda, en provenance de l'Afghanistan voisin.

— *À notre arrivée à Karachi, il y avait plus de peur aux États-Unis qu'au Pakistan. Les Américains craignaient une nouvelle attaque. Et puis les alertes à l'anthrax allaient s'en mêler…*

Mariane Pearl et son mari sentaient quand même le danger, à Karachi.

— *On avait le sentiment qu'on n'était pas loin de la source. Mais on essayait de ne pas paniquer. On allait au maximum du côté des mesures de sécurité, mais on restait très calmes. Dans ce*

genre de situation, il faut agir de façon inversement proportion-
nelle : il faut rester calme et réfléchir. Ça demande une certaine
confiance en soi, une certaine humilité : rester le plus effacé pos-
sible, ne pas avoir une attitude belligérante.

Elle savait bien que son mari prenait des risques, en tant que journaliste.

— *Mais il y avait une compréhension tacite que les jour-*
nalistes étaient des gens neutres, qui étaient là pour rapporter
des informations. Maintenant, les journalistes sont devenus des
cibles. Ils ont perdu cette sorte d'immunité qui existait avant le
11 septembre 2001.

Elle précise :

— *Dany a été tué délibérément. Sa mort était symbolique.*

Au moment de son enlèvement, le 23 janvier 2002, Daniel Pearl enquêtait sur Al-Qaïda et devait interviewer un chef terroriste présumé.

Ironie du sort : c'était son dernier jour de travail, au Pakistan. Il devait s'envoler le lendemain, avec sa femme, pour des vacances à Dubaï, avant de rentrer à Bombay.

— *Est-ce qu'il me disait tout ? Après le 11 Septembre, j'avais*
un peu décroché. Je n'avais pas envie de parler de terrorisme.
J'étais enceinte.

À propos du dernier reportage qu'a fait son mari avant d'être assassiné, elle n'était au courant de rien. Elle ne savait pas du tout ce qu'il préparait.

— *C'était la première fois que ça se passait comme ça. Est-ce*
qu'il avait envie de me protéger ? Je ne peux pas parler pour lui.
Peut-être…

Mais aucun doute dans son esprit, en ce qui concerne l'intégrité journalistique de son mari.

— *Il a été cohérent jusqu'au bout. Il avait une piste et il l'a*
suivie. Certains journalistes sont compétitifs, à la recherche du
scoop. Certains partent pour fuir, pour satisfaire leur ego. Ce
n'était pas le cas de Dany.

Non. Mariane Pearl n'a pas de réponse définitive à la question : le meilleur reportage vaut-il la mort d'un journaliste ?

Mais oui, elle continue de croire que la pire chose qui puisse arriver serait de baisser les bras.

— *Si cela peut changer les choses pour les autres, alors je crois que ça vaut la peine de risquer sa vie. Dany a changé quelque chose, à sa façon : il a aidé, influencé, inspiré beaucoup de gens. Sa vie n'a pas été inutile.*

Sa vie, non. Mais sa mort ?

Il y a quelques années, en 2004, Mariane Pearl m'avait confié ceci :

— *On a dit que Dany avait été tué parce qu'il était juif et américain. C'est faux. C'est la haine qui l'a tué.*

Elle venait de publier *Un cœur invaincu : la vie et la mort courageuses de mon mari Daniel Pearl*, qui deviendrait un best-seller, serait traduit dans le monde entier et adapté au cinéma.

« J'écris ce livre pour montrer que tu avais raison : la tâche de changer un monde empli de haine appartient à chacun d'entre nous », peut-on lire dans le prologue.

Mariane Pearl vivait alors à New York. Une ville qu'elle connaissait bien pour y avoir habité pendant plusieurs années. Elle avait débarqué à dix-sept ans dans la Grosse Pomme, pour faire de la danse moderne avant d'opter pour le journalisme.

Après la mort de son mari, elle était retournée là-bas instinctivement. C'est ce qu'elle m'avait dit.

— *À cause du World Trade Center.*

Après, on verrait. Une seule chose comptait pour elle, à ce moment-là.

— *Ils n'ont pas réussi à m'anéantir.*

Le bouddhisme. Le bouddhisme lui avait sauvé la vie à Karachi, elle y tenait.

— *C'est une philosophie un peu radicale, selon laquelle soit on est dans la victoire, soit on est dans la défaite. J'ai décidé de vivre pour ça : remporter une victoire.*

Nous étions à quelques jours du triste deuxième anniversaire de l'enlèvement de Daniel Pearl, que ses ravisseurs avaient accusé d'espionnage avant de lui trancher la gorge, une semaine plus tard.

Cette femme de trente-cinq ans qui avait tout fait pour retrouver son mari vivant, qui avait voulu mourir en apprenant sa mort, s'était donné une mission : combattre le terrorisme.

Mais pas question de combattre la haine par la haine, assurait-elle.

— *On a affaire à des gens qui veulent détruire l'humanité, et à cela, on ne peut opposer que l'humanisme. La solidarité humaine, voilà ce qu'il faut opposer à Al-Qaïda. Cette solidarité dépasse les différences de religion, de pays ou de race. Dany a été tué par des gens qui essaient de tuer le dialogue, la communication entre les civilisations. Il représentait l'universalisme, la citoyenneté internationale. C'étaient ses valeurs. Il faut se battre pour que les valeurs pour lesquelles s'est battu mon mari survivent.*

C'est son mari qui avait choisi le prénom de leur enfant, qu'il appelait « le bébé universel ». Adam est né en mai 2002, trois mois après la mort de son père.

— *C'est difficile, seule avec un enfant.*

Je sentais Mariane Pearl fragile, malgré sa volonté de fer. Le bébé geignait dans ses bras, il souffrait d'une bronchite, il avait passé une mauvaise nuit, elle aussi. Ils arrivaient de l'hôpital.

— *Je sais que je devrai affronter l'éducation d'Adam toute seule. J'ai beaucoup de responsabilités. J'ai toujours été pigiste, je ne sais pas ce qui m'attend. L'avenir, je ne le vois pas, je le crée, jour après jour. Chaque jour, petit à petit, je le construis. J'ai perdu l'assurance qu'ont les gens ordinaires de continuer leur chemin : mon mari n'est plus là, la personne avec qui je voulais faire ma vie n'est plus là.*

Quelques personnes avaient été accusées du meurtre de Daniel Pearl et attendaient d'être jugées. Celui qui était considéré comme le cerveau de l'enlèvement, Ahmed Omar Saïd Cheikh, avait été condamné à mort par la justice pakistanaise, mais sa cause avait été portée en appel et suspendue plusieurs fois.

— *Tout cela est très obscur. Nous devons connaître la vérité. Adam a le droit de savoir. Mais ça ne va pas ramener Dany à la vie.*

Mon premier entretien avec Mariane Pearl s'était terminé là-dessus.

Un peu plus de trois ans plus tard, en juillet 2007, elle intentait elle-même des poursuites à New York. Contre vingt-trois membres présumés d'Al-Qaïda. Et contre la principale banque pakistanaise, qu'elle accusait d'avoir financé les terroristes, en toute connaissance de cause.

Mais elle a fini par tout laisser tomber. Pourquoi ?

Suite de notre deuxième entretien, en juin 2009.

— *J'avais entrepris ce procès pour éviter le travail, postérieurement, à mon fils. Mais je me suis rendu compte que je ne maîtrisais rien, que j'allais être un pion. Et puis, c'est important de créer des valeurs. La vérité en soi ne crée pas toujours des valeurs. Il y a des détails que je n'ai même pas envie de savoir : ça ne va rien changer.*

Elle n'a jamais regardé la vidéo, qui a fait le tour du monde, où Daniel Pearl est égorgé par ses geôliers. Elle a toujours refusé de parler des circonstances atroces dans lesquelles son mari est mort.

— *C'est important que les gens qui sont coupables soient punis en conséquence, mais c'est un processus très compliqué : il n'y a pas que les bons et les méchants, il y a des responsabilités plurielles. Ce n'est pas beau à voir, la politique, de près.*

Elle dit qu'elle a été manipulée, qu'elle ne se sentait plus libre. Et qu'elle n'était motivée, au fond, que par son désir de vengeance.

— *Ça vous détruit, la vengeance. Et quand ça vous détruit, vous avez perdu.*

Mariane Pearl n'a pas l'intention que l'étiquette « veuve de Daniel Pearl » lui colle à la peau éternellement.

— *J'ai fait mon devoir de citoyenne, de journaliste, de mère, de femme. J'ai décidé que c'était ASSEZ. J'ai retrouvé ma liberté.*

Elle prépare un livre sur son histoire familiale.

— *Je crois que pour se construire en tant qu'être humain, il faut se servir des histoires de ceux qui nous ont précédés.*

Lors de notre premier entretien, Mariane Pearl m'avait confié :

— *Mon père s'est suicidé quand j'avais neuf ans. Cette expérience m'a amenée à m'interroger très tôt sur le sens de la vie, sur les autres… Ça m'a amenée à une certaine gravité, à l'idée que la vie n'est pas un acquis. On n'est pas des vaches, qui ne font que vivre, brouter et mourir. Il y a une évolution à chercher, pour atteindre un but.*

En 2007, elle a publié un livre intitulé *In Search of Hope*. Une galerie de portraits de femmes, de différents pays.

— *J'ai parcouru le monde pour rencontrer des personnes que je voulais connaître, qui m'inspirent, qui apportent l'espoir. C'est un livre sur la résilience, sur la capacité d'une personne à utiliser ce qui lui arrive et ce qu'elle est pour se transformer elle-même et transformer son environnement.*

Parmi les femmes dont elle retrace le parcours dans son livre : Somaly Mam, du Cambodge, ex-esclave sexuelle qui vient en aide aux jeunes filles forcées de se prostituer ; Lydia Cacho, du Mexique, journaliste qui a dénoncé les violences faites aux femmes là-bas, malgré des menaces de mort ; et Ellen Johnson Sirleaf, présidente du Liberia, première femme présidente africaine.

Mariane Pearl a d'abord publié ses portraits un à un, dans le magazine américain *Glamour*, qui touche plus d'une dizaine de milliers de lecteurs aux États-Unis seulement.

Elle est demeurée journaliste, mais pratique désormais son métier autrement. Elle en a long à dire sur la profession de journaliste aujourd'hui.

— *Ce n'est pas la mort de mon mari qui a changé ma vision du journalisme, c'est l'état du monde qui a changé. C'est plus dangereux. Et il y a de moins en moins de bureaux de correspondants à l'étranger, les journalistes sont de moins en moins crédibles.*

Elle est convaincue, malgré tout, que les journalistes ont le pouvoir de faire changer les choses.

À une nuance près.

— *Je suis déçue de ce qu'on en fait, de ce pouvoir. Il faut se poser des questions sur le rôle des journalistes en dehors des* news *à tout prix, de l'adrénaline* addictive. *Ça concerne les journalistes,*

mais pas seulement. Ça concerne les décideurs derrière les médias,
aussi. Il y a le contexte économique, bien sûr, qui est difficile. Il
y a toutes sortes de contraintes. On demande aux journalistes de
faire des choses qui se vendent. Et qu'est-ce qui vend ? La porno-
graphie. La misère, la pauvreté. Et la peur. Il faut prendre du
recul face à tout ça.

Pour elle, le journalisme doit avoir une mission éducative
avant tout.

— *Il ne s'agit pas seulement de refléter le monde par sensa-*
tionnalisme ou par désir d'informer. Il faut savoir pourquoi on
fait ce métier-là. Moi, je fais ce métier pour créer des ponts, de
façon à ce qu'on se comprenne. Ce n'est pas Al-Qaïda qui m'a fait
changer. J'ai toujours pensé ça.

Dans *In Search of Hope*, Mariane Pearl écrit : « Cela avait
à voir avec le sens de ma vie et le sens de la mort des gens que
j'aime, mais avant tout avec mon fils. Comment donner à mon
fils de cinq ans le désir d'embrasser le monde ? Il serait légitime
qu'il ait peur. Mais y a-t-il un moyen qu'il ressente de l'espoir
à la place ? »

L'espoir. Bien sûr.

Sans espoir, comment trouver la force de continuer ?

Comment trouver la force de mettre des enfants au monde ?

Comment accepter la mort de la personne que l'on aime
le plus au monde ?

Chapitre 16

Toi, reporter de guerre

Nous sommes sur le balcon. Côte à côte. Face au fleuve. C'est l'heure magique, l'île d'en face est dorée. Le vent est calme. Il fait doux, tellement doux pour la saison. Le grand héron est déjà revenu.

Nous sommes juste avant l'été. Juste avant le coucher du soleil. Nous sommes dans un moment suspendu. Juste avant que tu ouvres la bouche. Que tu craches le morceau.

Je ne veux pas. Je ne veux pas que tu te mettes à parler. Je sais. Je sais bien ce que tu vas m'annoncer. C'était écrit dans le ciel. Ça ne pouvait pas durer. Rien ne dure.

Il n'y a pas de paniers de vêtements propres à plier. Pas de lunch à préparer pour les enfants, demain. Les enfants ne sont pas dans le salon. Ils sont grands, maintenant, ils ont déserté la maison.

Il n'y a pas de message de ta mère inquiète sur le répondeur. Ta mère ne sait rien. Les enfants non plus. Personne ne sait ce qui se trame sur le balcon, tu n'as parlé à personne, tu ne m'as encore rien dit.

Ne dis rien, je t'en prie.

Nous sommes huit ans, sept mois et des poussières après ton premier départ pour la guerre, en Afghanistan. Nous sommes dans deux mondes séparés, encore.

Ne dis rien, surtout.

Depuis quelque temps, la guerre se jouait sans toi, en Afghanistan, en Irak, ailleurs dans le monde. Il y a eu cette période de transition, pendant laquelle tu as quitté le reportage pour le studio. Et cette question, qui te hantait : refaire du terrain ou pas ?

Il y a eu ton retour au reportage. En eaux plutôt calmes. Même si on ne peut pas dire que l'Afrique soit de tout repos. Il y a eu quelques défis, mais sinon, c'était bof, l'ennui.

Ne parle pas, pas encore.

Aujourd'hui, un autre soldat est mort, en Afghanistan. Kevin McKay, vingt-quatre ans. Une mine artisanale, encore une. C'est le 144e soldat canadien à perdre la vie en Afghanistan depuis le déploiement des troupes sur le terrain, en 2002.

Et puis, les deux journalistes français, Hervé Ghesquière et Stéphane Taponier, enlevés en Afghanistan le 29 décembre 2009, avec leurs interprètes afghans, manquent toujours à l'appel. Aux dernières nouvelles, ils étaient en vie, mais…

Tais-toi, je t'en supplie.

Je ne veux pas entendre ça. Je ne veux pas entendre qu'il y aura des élections à l'automne, en Afghanistan. Que ce sera le début du retrait des troupes canadiennes, là-bas. Que ce sera l'heure des bilans.

Et qu'il faut des journalistes canadiens sur place, pour rendre compte de tout ça, évidemment.

Je ne veux pas m'entendre dire : pourquoi toi, précisément ?

Je repense à la journaliste canadienne Michelle Lang, morte dans un tank, en Afghanistan. Parce que c'est ça qu'on te demande, n'est-ce pas ? De suivre l'armée. De monter dans leurs foutus blindés, en terrain miné.

Je repense à Patrice Roy : « Tu ne peux pas expliquer aux Canadiens comment ça se passe sur le terrain si tu n'y vas pas. Tu ne peux pas leur montrer à quel point l'armée canadienne s'embourbe si tu ne le vois pas de tes yeux. »

Je pense : la mission canadienne, la mission de l'OTAN tout entière est un échec, en Afghanistan. Tout le monde sait ça. Depuis longtemps. Qu'y a-t-il à dire de plus là-dessus ?

Je ne veux pas t'entendre. T'entendre dire que tu étais là au tout début, avant même le déploiement des forces étrangères. Que ce sera ton cinquième séjour en Afghanistan, une façon de boucler la boucle, pour toi.

Arrête. Ne dis surtout pas que tu seras prudent. Que tu sais calculer les risques, que tu as l'expérience de la guerre, maintenant. Que tu connais bien mieux tes limites.

Je repense au journaliste britannique, Rupert Hamer, trente-neuf ans, père de trois enfants, mort dans un blindé américain le 9 janvier 2010, en Afghanistan. Il en était à son cinquième séjour là-bas. Et il avait couvert la guerre en Irak, lui aussi.

Je vois le grand héron qui s'approche de sa proie et *tac*. Je ne veux pas voir ça. La vie qui se débat, comme dans un long tunnel, sans issue. La marche vers la mort, sans retour possible.

Et tu le dis. Tu dis que ça t'est tombé dessus. Que tu ne l'as pas cherché. Mais que tu dois répondre : oui ou non. Tu dis que tu hésites, cette fois. Que ta décision n'est pas prise, pas encore.

Je ne m'attendais pas à ça, vraiment pas.

Et je te regarde, et je ne te reconnais pas.

Tu dis que cette fois, tu ne le sens pas vraiment. Je pense au caméraman Charles Dubois. Qui ne le sentait pas, lui non plus, avant d'aller perdre une jambe en Afghanistan.

Il aurait dû écouter son instinct, cette fois-là : c'est ce que tu m'avais dit, tu te souviens ?

Et tu dis que tu penses à moi, aux enfants. À ta mère. Tu dis que tu n'as pas envie de nous faire ça. Je n'en crois pas mes oreilles. Je me demande : pourquoi ça compte, maintenant ?

C'est le monde à l'envers.

C'est moi qui te pousse, maintenant. Je te pousse dans tes derniers retranchements. Tu veux nous utiliser, nous, pour te désister, c'est ça ? Je l'ai dit. C'est moi qui ai dit ça ?

C'est horrible.

Il faut que je te dise, aussi : il y a cette part de doute en moi. Et si tu avais raison ? Si j'avais tout faux, finalement. Si j'étais prisonnière de ma petite personne, de mon petit univers, pendant que la planète crève ?

Et tu me regardes, et tu ne me reconnais pas.

Et je le dis. Je dis que la décision t'appartient.

Je dis que la vraie question est celle-ci : tiens-tu à la vie ?

Je dis : «Es-tu prêt à risquer ta vie, encore une fois ?»

Demain, tu dois rendre ta décision.

BIBLIOGRAPHIE

Florence AUBENAS, *Grand Reporter – Petite conférence sur le journalisme*, Bayard, Paris, 2009.
— *La Méprise*, Seuil, Paris, 2005.

Roger AUQUE, *Otages de Beyrouth à Bagdad – Journal d'un correspondant de guerre*, Anne Carrière, Paris, 2005.
— *Un otage à Beyrouth*, Filipacchi, Paris, 1998.

Rony BRAUMAN, *Pourquoi je suis devenu médecin humanitaire*, Bayard, Paris, 2009.
— *Penser dans l'urgence – Parcours critique d'un humanitaire*, entretien avec Catherine Portevin, Seuil, Paris, 2006.

François BUGINGO, *Africa Mea – Le Rwanda et le Drame africain*, Liber, Montréal, 1997.

Patrick CHAUVEL, *Rapporteur de guerre*, Oh! Éditions, Paris, 2003.

Michel CORMIER, *La Russie des illusions – Regard d'un correspondant*, Leméac, Montréal, 2006.

Louis CORNELIER, *Lire le Québec au quotidien*, Éditions Varia, Montréal, 2005.

Sara DANIEL (sous la direction de), *Guerres d'aujourd'hui – Pourquoi ces conflits ? Peut-on les résoudre ?*, Éditions Delavilla, Paris, 2008.
— *Voyage au pays d'Al-Qaïda*, Seuil, Paris, 2006.

Robert FISK, *La Grande Guerre pour la civilisation – L'Occident à la conquête du Moyen-Orient (1979-2005)*, traduit de l'anglais par Laurent Bury, Martin Makinson, Laure Manceau, Marc Saint-Upéry et Alain Spiess, La Découverte, Paris, 2005.

Pierre FOGLIA, *Le Tour de Foglia et chroniques françaises*, Vélo Mag / Les Éditions La Presse, Montréal, 2004.

Lieve JORIS, *L'Heure des rebelles*, récit traduit du néerlandais par Marie Hooghe, Actes Sud, Arles, 2007.
— *Danse du Léopard*, traduit du néerlandais par Danielle Losman, Actes Sud, Arles, 2002.
— *Les Portes de Damas*, traduit du néerlandais par Nadine Stabile, Actes Sud, Arles, 1994.
— *Mon oncle du Congo*, traduit du néerlandais par Marie Hooghe, Actes Sud, Arles, 1990.

Ryszard KAPUSCINSKY, *Autoportrait d'un reporter*, traduit du polonais par Véronique Pratte, Plon, Paris, 2008.
— *Ébène – Aventures africaines*, traduit du polonais par Véronique Pratte, Plon, Paris, 2000.

Jean-Paul MARI, *Sans blessures apparentes*, Robert Laffont, Paris, 2008.

Anne NIVAT, *Bagdad zone rouge*, Fayard, Paris, 2008.
— *Lendemains de guerre en Afghanistan et en Irak*, Fayard, Paris, 2004.

— *Chienne de guerre*, Fayard, Paris, 2000.

Mariane PEARL, *In Search of Hope: The Global Diaries of Mariane Pearl*, PowerHouse Books, 2007.
— *Un cœur invaincu – La vie et la mort courageuses de mon mari Daniel Pearl*, traduit de l'anglais (États-Unis) par Marc Albert, Plon, Paris, 2003.

REZA, *30 ans de reportages – Entre guerre et paix*, National Geographic, Paris, 2008.

David RIEFF, *Mort d'une inconsolée – Les derniers jours de Susan Sontag*, traduit de l'anglais (États-Unis) par Marc Weitzmann, Éditions Climat, Paris, 2008.

David RIEFF, Roy GUTMAN (sous la direction de), *Crimes de guerre – Ce que nous devons savoir*, édition française : Rémy Ourdan et Stéphanie Maupas, Autrement, Paris, 2002.

Barbara VICTOR, *Shahidas – Femmes kamikazes de Palestine*, traduit de l'anglais (États-Unis) par Robert Marcia et Florence Bouzinac, Flammarion Québec, Montréal, 2003.

REMERCIEMENTS

Ce livre n'aurait jamais pu voir le jour sans les journalistes de guerre qui ont accepté de se confier à moi. Qu'ils soient ici remerciés. Je leur souhaite longue vie.

Grand merci à mon éditeur, André Bastien, qui a cru à mon projet et m'a soutenue, jusqu'au bout.

Merci spécial à Louise Dupré, Maxime Laurin-Desjardins, Camille Laurin-Desjardins, Laurette Laurin et Jacqueline Mahieux.

Surtout, merci à l'homme de ma vie.

TABLE DES MATIÈRES

Cet ouvrage a été composé en Ehrhardt MT 12,25/15
et achevé d'imprimer en septembre 2010 sur les presses
de Imprimerie Lebonfon Inc. à Val-d'Or, Canada.

certifié   procédé   100% post-   archives   énergie
            sans chlore   consommation   permanentes   biogaz

Imprimé sur du papier 100 % postconsommation,
traité sans chlore, accrédité Éco-Logo et fait à partir de biogaz.